本所おけら長屋 読み始めセット

本所おけら長屋（二）

畠山健二

PHP
文芸文庫

○本表紙デザイン＋ロゴ＝川上成夫

本所おけら長屋(二) 目次

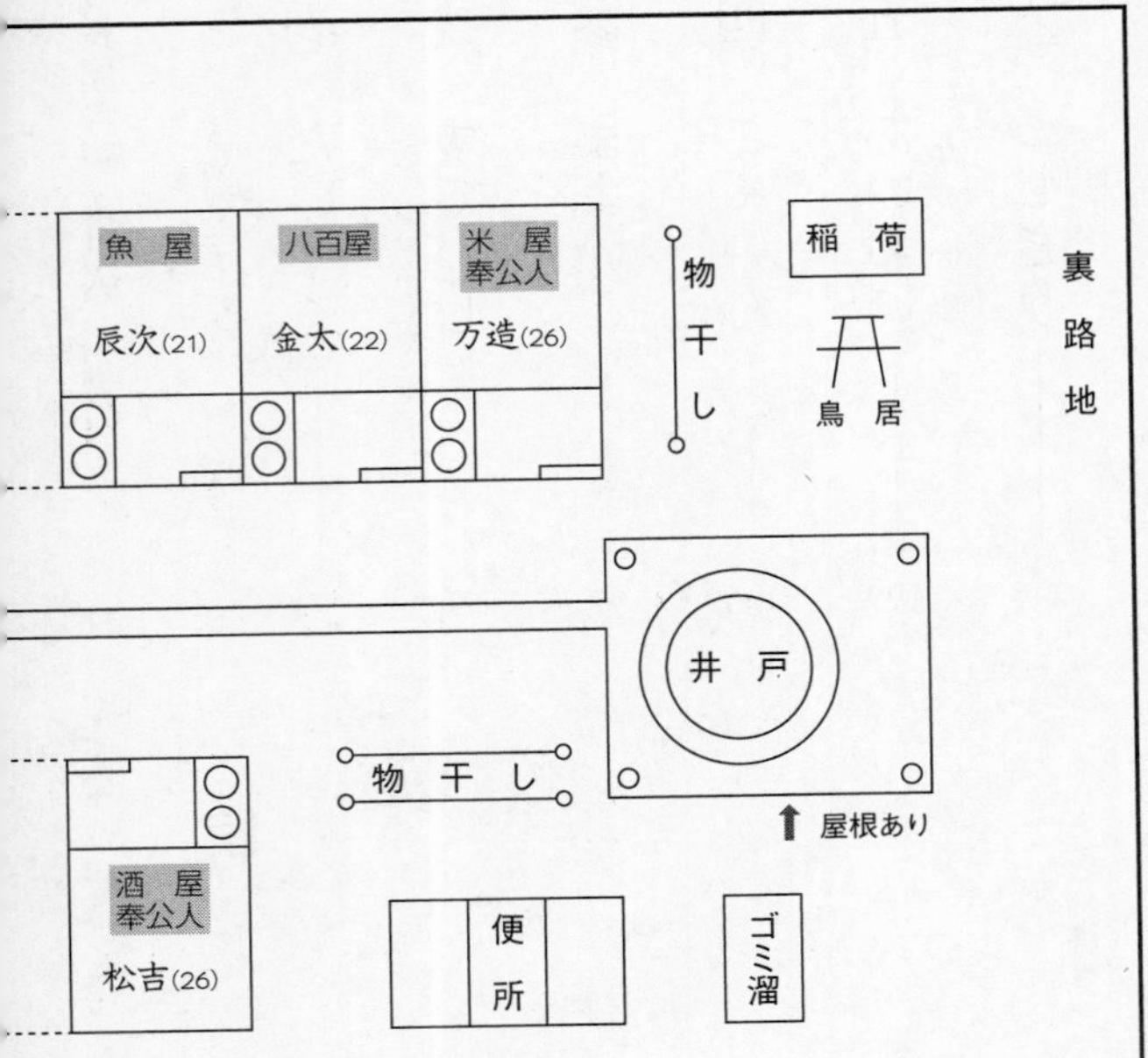
魚屋
辰次(21)
八百屋
金太(22)
米屋
奉公人
万造(26)
物干し
稲荷
鳥居
裏路地
井戸
屋根あり
物干し
酒屋
奉公人
松吉(26)
便所
ゴミ溜

本所おけら長屋の見取り図と住人たち

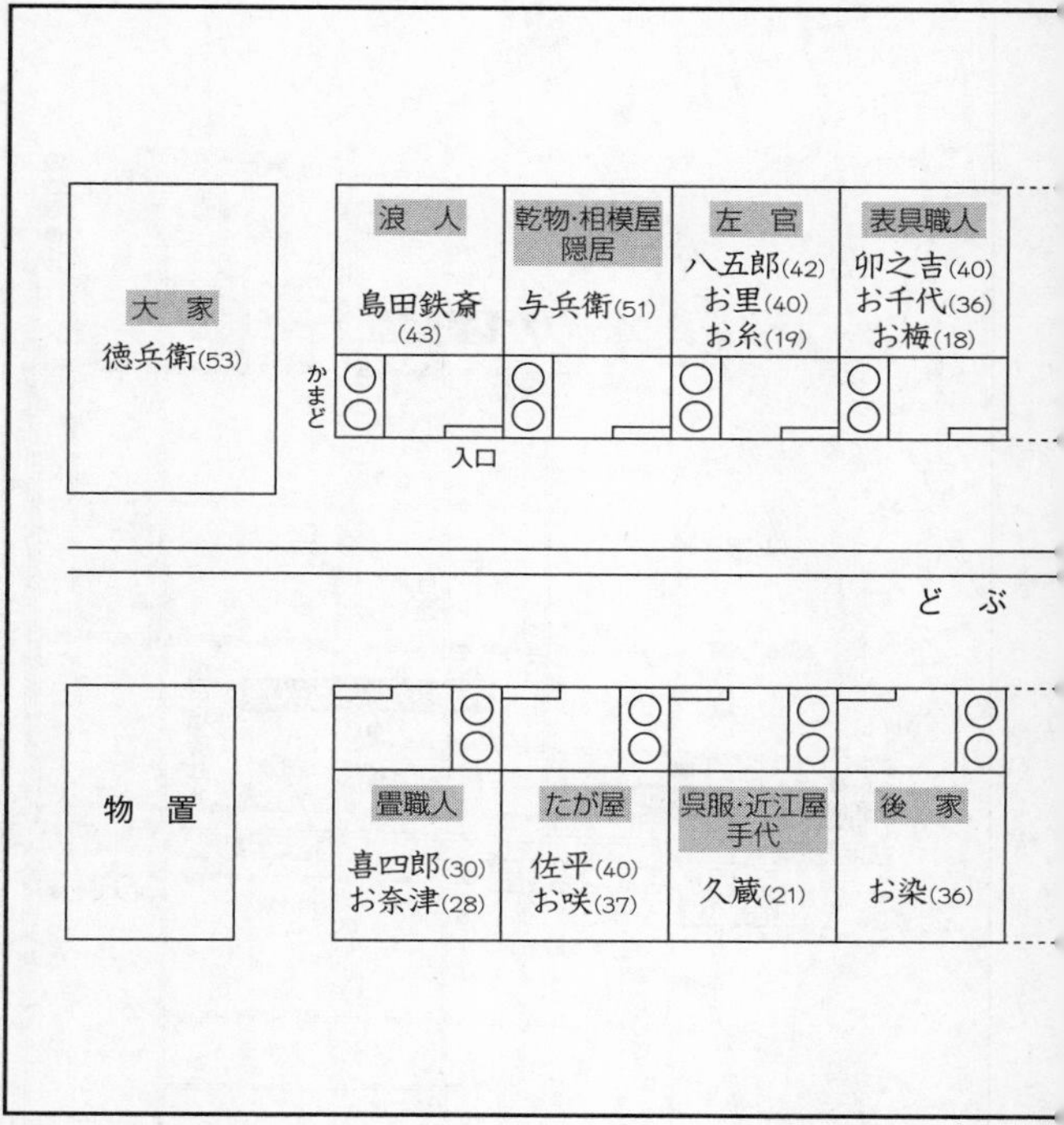

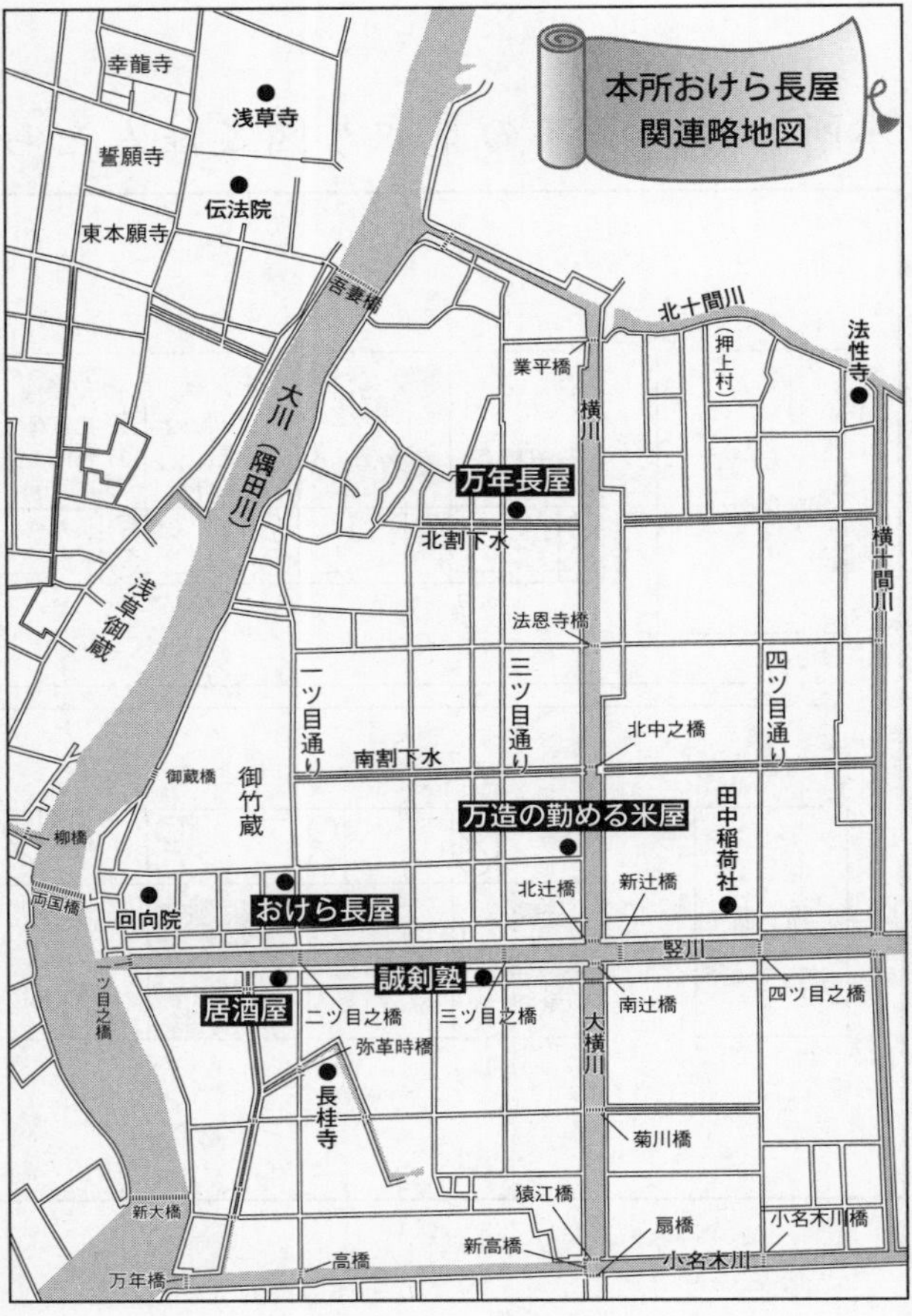
本所おけら長屋
関連略地図
幸龍寺
浅草寺
誓願寺
伝法院
東本願寺
吾妻橋
北十間川
(押上村)
法性寺
業平橋
横川
大川(隅田川)
万年長屋
北割下水
横十間川
浅草御蔵
法恩寺橋
一ツ目通り
三ツ目通り
四ツ目通り
北中之橋
南割下水
御蔵橋
御竹蔵
万造の勤める米屋
田中稲荷社
柳橋
北辻橋
新辻橋
両国橋
回向院
おけら長屋
竪川
一ツ目之橋
誠剣塾
居酒屋
二ツ目之橋
三ツ目之橋
南辻橋
四ツ目之橋
大横川
弥革時橋
長桂寺
菊川橋
猿江橋
扇橋
小名木川橋
新大橋
新高橋
小名木川
高橋
万年橋

本所おけら長屋（二）　その壱

だいやく

おけら長屋《ながや》に住む表具《ひょうぐ》職人、卯之吉《うのきち》の一人娘、お梅《うめ》が湯屋《ゆや》で見知らぬ男に襲われ、身籠《みご》もってから七か月が過ぎた。

そんなある夕刻、万造《まんぞう》と松吉《まつきち》は、久蔵《きゅうぞう》を松井町《まついちょう》にある居酒屋に呼び出した。万造はしたり顔で久蔵の猪口《ちょこ》に酒を注《つ》ぐ。

「どうでえ、久ちゃん。景気づけに一杯やってから、ナカに繰《く》り出さねえか」

「あなたたちに景気づけなんて必要ないでしょう。四六時中《しろくじちゅう》、景気づいてるじゃありませんか」

久蔵の反応は冷たい。松吉もわざとらしい作り笑いを浮かべる。

「天気もすっきりしねえしよ、パーッといこうじゃねえか」

久蔵は呑《の》みかけの猪口を静かに置いた。

「空模様《そらもよう》と吉原《よしわら》に、どんな関係があるんですか。行きたいなら、二人で行けばいいでしょう」

いつもなら「御託《ごたく》を並べてるんじゃねえ」などと、理不尽に声を張り上げる万造が、穏やかな表情を見せる。不気味だ。

「金のことならしんぺえねえ。昨日、松吉と小梅町《こうめちょう》の鉄火場《てっかば》に行ってよ、ちょいと懐《ふところ》があったけえんだ。居続《いつづ》けってわけにはいかねえが、ちょいと遊ぶにゃ充分だ」

久蔵には、万造と松吉の魂胆《こんたん》――いってみれば優しさなのだが――がわかっていた。

父親のわからない子を宿してしまったことが発覚した後に、お梅が久蔵に思いを寄せていたことを知った、おけら長屋の住人たちは、久蔵がお梅と所帯《しょたい》を持ってくれることを望んだ。それも久蔵自らの意志で。二人の幸せを願う住人たちのドタバタ劇により、久蔵はお梅と所帯を持つ覚悟を決めた（詳しくは『本所おけら長屋』その七「ふんどし」参照）。

その中心的な役割を果たした万造と松吉が、なぜに久蔵を吉原に誘うのか――。

二十一歳の久蔵と、十八歳になったばかりのお梅。日に日にせり出してくるお梅の腹を見て、久蔵の気持ちは落ち込んでいく。お梅の腹の中にいるのは自分の子ではない。お梅が不憫《ふびん》で守ってやらなければならないと思う反面、そのせり出してくる腹が憎らしく思えるときもある。覚悟していたことだったが、現実は残酷だ。

万造と松吉は、そんな久蔵の心の底を見抜いた。犬猫なみに鼻が利《き》くが、考えも犬猫なみの二人である。久蔵を励ます手段が女郎買《じょろうか》いとは始末が悪い。

「なあに、お梅ちゃんや卯之吉さんたちにバレることはねえ。おれたちと呑んでいたと言やあ、それまでだ」

「そうだよ、久ちゃん。たまには息抜きも必要だ。おめえの欠点は真面目《まじめ》すぎることだ。人の道ってもんはよ、たまにウサを晴らさねえと迷子になっちまうんだ」

「よっ、松ちゃん、うめえこと言うねえ。おれなんざ迷いっぱなしで、東も西もわからねえや」

二人を無視して立ち上がる久蔵。万造と松吉は肩を落とした。

「何をしてるんですか。明日は仕事で朝が早いんです。さっさと行きましょう」

万造はきょとんとする。

「えっ、行くってどこによ」

「あなたたちが私を吉原に誘ったんでしょう。自分たちの言ったことにけじめをつけてください」

万造と松吉は、徳利《とくり》に残った酒を呑み干《ほ》すと、勢いよく立ち上がった。


そのころ、おけら長屋に住む浪人《ろうにん》、島田鉄斎《しまだてっさい》は、大家《おおや》の徳兵衛《とくべえ》宅を訪ねていた。茶を淹《い》れながら、徳兵衛はいつもと違う鉄斎の様子に気づく。

「何かありましたね。いつもは喜怒哀楽を表に出さない島田さんが、沈んだ顔をしておられる」

鉄斎は熱いお茶を啜《すす》った。

「私もまだまだ修行が足りませんな。実は今日の昼下がり、見知らぬ男に声をかけられました」

鉄斎は、心を整理するかのように、もう一度、ゆっくりとお茶を啜った。

島田鉄斎は、林町《はやしちょう》にある誠剣塾《せいけんじゅく》という剣術道場で、師範《しはん》の補佐役をしている。所用のため、大横川《おおよこがわ》にかかる南辻橋《みなみつじばし》を渡ったところで、背後から声をかけられた。振り向くと、職人風の若い男が、伏《ふ》し目がちに鉄斎を見ている。

「あ、あの……、おけら長屋に住む、島田鉄斎さんですよね」

「いかにも。島田鉄斎だが……」

若い男は、何の前振りもなしに、いきなり切り出した。

「お梅さんのお腹《なか》にいる子の父親は、あっしなんで……」

「今、何と言った……」

「ですから、お梅さんをはらませたのは、あっしなんです」

鉄斎は大きく深呼吸をすると、南辻橋の脇にある石段を下りる。若い男は黙ってついてきた。鉄斎は一番下の石段に腰を下ろすと──。

「まずは名前から聞こう」

男は、鍛冶《かじ》職人の「千吉《せんきち》」と名乗った。

「それじゃ、詳しい話を聞かせてもらおうか」

千吉は鉄斎の隣に腰掛け、水面《みなも》を見つめながら話しだした。

「魔が差したんです。なんであんなことをしちまったのか、あっしにもわからねえんです。お梅さんのことは町で何度か見かけたことがあります。器量良しだとは思っていました。それが、偶然に湯屋で……。酒も少しへえってました。本当にとんでもないことを……。

謝って済むことじゃねえくらい、わかっています。もう二度と、あの娘さんの前には現れねえつもりでした。

でも先日、両国橋《りょうごくばし》であの娘さんを見かけました。身籠もってるじゃありませんか。あれは、あっしの子です。絶対にそうです。そう思ったら、あの娘さんも、お腹の中の子も、堪《たま》らなく愛《いと》おしくなっちまって。だって父親は、あっしなんですから。あの娘さんの跡をつけて、おけら長屋に住んでいることを確かめました。表具職人の娘で、お梅さんという名だってことも。おけら長屋のこともいろいろと調べましたが、だれに何を、どうやって話せばいいのやら……。ぶしつけは承知で、島田さんに声をかけさせていただきました」

ここまで話すと、千吉はいきなり土下座《どげざ》をして、石畳《いしだたみ》に額《ひたい》を擦《こす》りつけた。

「おねげえです。お梅さんと親御さんに、あっしのことを話しちゃもらえませんか。ちゃんとけじめをつけてえんです。必ず幸せにしますから。この通りです」

千吉は土下座をしたまま固まっている。鉄斎は組んでいた腕を膝《ひざ》の上に置いた。

「ずいぶんと都合のいい話だな。無理矢理に襲っておいて、今度は幸せにしますなどとは……。あんたは立派な罪人なんだぞ。このまま奉行所《ぶぎょうしょ》に突き出すこともできるんだ」

千吉はそのままの体勢で涙声になった。

「覚悟の上です。でも、これだけは言わせてください。父親はあっしなんです。血は水よりも濃しっていうじゃありませんか。お腹の子を幸せにできるのは、あっしだけなんです。なんとか取り持っちゃもらえませんか」

「それで、島田さんはどうされましたか」

徳兵衛は、右手を握り締めている。

「恥ずかしながら、突然のことで、何を話してよいやら……」

「久蔵のことは知っているのですか」

「それは知らない様子でした。話すべきか迷いましたが、迂闊《うかつ》なことは言えません」

「島田さんの話からすると、根っからの悪人ではないようですな」

「ですから、なおさら厄介《やっかい》です。千吉の住まいは確かめました。柳島町《やなぎしまちよう》にある十《じゆっ》間橋《けんばし》長屋で一人暮らしをしています。必ずこちらから連絡するので、決して軽はずみなことはするなと釘《くぎ》を刺《さ》しておきました。そんな話を突然されたら、お梅ちゃんの身体《からだ》に障《さわ》りますからね」

二人は同時に溜息《ためいき》をついた。

万造は畳に転《ころ》がった久蔵を横目で見ながら、猪口の酒を呑み干した。

「眠っちまったな。あんな無茶な呑み方をすりゃ、あたりめえだがよ」

松吉は徳利を振って、酒の残りを確かめ、万造の猪口に注いだ。

「これじゃ、女を抱くどこじゃねえな。しばらくは動かさねえ方がいいだろ。反吐《へど》でも吐《は》かれると店に迷惑がかかるからよ。しかし、久蔵のやつ、かなりまいってやがるな。このままじゃ、お梅ちゃんと所帯を持ってもうまくいかねえだろう。久蔵は、お梅ちゃんと生まれてくる子から逃げちまってる」

三人は、万松が馴染《なじ》みの、吉原にある安手《やすで》の女郎屋に繰り出した。女郎を呼ぶ前に、景気づけとばかりに二階の座敷で一杯やったのだが、久蔵の呑み方は、見ていて痛ましいほどだった。

「なあ、松ちゃん。おれたちがやったこと、間違ってたんじゃねえのか」

「久蔵に、お梅ちゃんを押しつけたことか」

「ああ」

　二人は寝息を立てる久蔵を、同時に眺《なが》めた。

「今さら何を言ってるんでえ。おれたちだけじゃねえんだ。大家さんだって、島田の旦那《だんな》だって、おかみさん連中だって、みんなが望んだことだろ」

　松吉の言葉に、万造は小さく頷《うなず》く。

「確かに、久蔵とお梅ちゃんが所帯を持てば、おけら長屋は丸く収まる。卯之吉さんと、お千代《ちよ》さんも安心するだろう。だが、それと引き換えにして、久蔵には目に見えねえ大きな荷物を押しつけちまった。久蔵は、その重い荷物を背負うのが、ちょいと辛《つら》くなってきたんだ。二十一歳といやあ、まだ子供に毛が生《は》えたようなもんだからな。無理もねえ話だ」

　松吉は万造よりも大きく頷いた。

「普通なら遊びてえ盛りだ。お梅ちゃんとだって、親の目を盗んで、池之端《いけのはた》あたりの出合茶屋《であいぢゃや》にでもしけこみてえところだが、それもできねえ。日に日に大きくなってくるお梅ちゃんの腹を見てるだけだ。たいして呑めもしねえ酒をあおりたくもなるだろうよ」

「久蔵とお梅ちゃんの仲はどうなんだ。会ったり話したりはしてるのか」

「久蔵は近江屋《おうみや》で飯を食うらしいが、旦那さんの計《はか》らいで、忙しくねえときには早帰りをさせてもらってる。旦那の益次郎《ますじろう》さんだって事の成り行きくれえは知ってるさ。お梅ちゃんと二人にさせてやりてえっていう親心だろ。そんなときは、お梅ちゃんが久蔵の家に夕食を運んで、差し向かいで飯を食ってるそうだ」

万造は、二人の姿を思い浮かべてニタリとした。

「万ちゃんは、察《さっ》しがわりいなあ」

「微笑《ほほえ》ましい光景じゃねえか」

「そりゃ普通だったらな。二人の子がお腹の中にいりゃ話も弾《はず》むだろうさ。名前はだれに付けてもらおうか。霊巌寺《れいがんじ》の和尚《おしょう》さんにしましょうか、それとも相模屋《さがみや》の隠居にしましょうかってよ」

「そりゃ、霊巌寺の和尚に決まってんだろ。隠居の与兵衛《よへえ》なんかに名を付けられたんじゃ意地の悪い子に育っちまうからよ」

「おめえは馬鹿《ばか》か。名前の話をしてるんじゃねえ。それだけじゃねえ。男の子だったら職人にしてえだの、番頭にしてえだの、女の子だったら何を習わせてえだのとかよ」

「子供の話ばかりじゃねえか」

「そういうもんなんだよ。だが二人の間じゃそんな話はご法度《はっと》だ。だからろくに話もできねえのよ。久蔵の心は重くなるばかりだ。お梅ちゃんだって、引け目を感じてるんじゃねえのか。久蔵にはそんなお梅ちゃんの気持ちもわかるから、何も言えずに、ことさら殻《から》に閉じこもっちまうのさ」

久蔵は寝返りを打つと、海老《えび》のように丸くなった。酒が引いて少し寒くなったのかもしれない。万造は押入《おしい》れから薄い布団《ふとん》を引っ張り出して、久蔵にかけた。

「なあ、松ちゃん。久蔵が背負っている一番重い荷物は、やっぱりお梅ちゃんのお腹にいる赤ん坊のことか」

松吉は、しげしげと久蔵の寝顔を見つめた。

「久蔵の実家は、寺島村《てらじまむら》の農家らしい。寺島村なんてえのは歩いて一刻《いっとき》もかからねえ。なのに野郎は実家にけえったことがねえだろ。なぜだか知ってるか」

「そういやあ、寺島村の話なんざ、聞いたことがねえな」

「久蔵は、親に捨てられたと思ってるのさ。だいぶ前だが、井戸端《いどばた》で大家さんとお染《そめ》さんが話してるのを聞いたことがある。寺島村にいる父親ってえのは、久蔵の実の父親じゃねえそうだ。詳しいいきさつは知らねえがな。血のつながっていねえ父親には、ずいぶんと苛《いじ》められたらしい。だから、おっかさんは、他の子よりも少し早く、久蔵を奉公《ほうこう》に出したんだ」

「それが母心《ははごころ》ってもんだろ」

「冷静に考えりゃな。だが九歳だか十歳のガキに、母親の気持ちなんてわからねえ。おっかさんが亡くなったときに一度寺島村にけえったきりで、その後は実家とは疎遠になってるってこった。親きょうだいの縁のうすい久蔵に妻子《つまこ》ができる。だが腹の中の子は――」

そこまで言うと松吉は、立ち上がって表通りに面した引き戸を開いた。少し冷たい風に触《ふ》れたかったのだろう。外からは三味線《しゃみせん》や太鼓《たいこ》の音色《ねいろ》が響いてくる。吉原は不夜城だ。松吉は星がひとつも見えない夜空を見上げながら――。

「久蔵はてめえがこええのかもしれねえ。血のつながっていねえ子供に、てめえも同じことをしちまうんじゃねえかって……」

ここで万造は、大きな欠伸《あくび》をした。

「あーあ、やめた、やめた。おう、松ちゃん。今の話はそっくり忘れちまおうぜ。久蔵がどうなろうと知ったこっちゃねえ。お梅ちゃんと一緒になるって決めたのは久蔵本人じゃねえか。今さら何をグズグズ抜かしてやがる。こちとら、こんな野郎の人情噺《ばなし》に付き合ってるガラじゃねえ。せっかくの吉原が通夜《つや》の席になっちまうぜ。酒だ、酒だ」

久蔵は「もう呑めません」と力のない寝言《ねごと》を洩《も》らした。

座敷の襖《ふすま》が音もなく開く。女郎屋の若い番頭《ばんとう》が、低い位置から下卑《げび》た笑いを浮かべて、右手の小指を立てた。

「えー。こちらの方はいかがいたしましょうか」

万造は、手をひとつポンと叩《たた》いた。

「よっ、さすがに商売人だ。頃合《ころあい》ってもんがわかってやがる。すまねえが、見ての通り一人は沈没しちまった。だからよ、女は二人でいいや。それと申し訳ねえが、明日の朝になったら、この野郎を起こしてやっちゃあもらえねえか。これは少ねえが、ほんの気持ちだ」

番頭は両手を擦《す》り合わせる。

「そりゃもう、お馴染《なじ》みさんですから。ありがたく頂戴《ちょうだい》いたします。ところでそろそろお呼びいたしますが……。その、つまり、どちら様が……」

「なんでえ、奥歯に物の挟《はさ》まったような言い方をしやがって」

「で、ですから、お相手ですが、だれをお呼びになりますか」

万造と松吉は同時に答える。

「小桜《こざくら》に決まってるだろ」

さらに、まったく同じ口調《くちょう》で——。

「な、なんだとー。おめえもか」

先に口火《くちび》を切ったのは万造だ。

「松吉、てめえ、足繁《あししげ》く吉原に通ってると思ってたら、小桜に尾っぽを振ってやがったのか」

「その台詞《せりふ》、そのままおめえに返してやらあ。はは一ん、小桜から、しつけえ客がいるって聞いたことがあるが、おめえのことだったか。こりゃ、なるほど納得だ」

「負け惜しみを言うんじゃねえ。おれはなあ、小桜のマブなんだぜ。てめえのような、その他大勢とは、訳《わけ》が違うんでえ」

「女郎にマブなんぞと言われてその気になるなんざ、とんだ野暮天《やぼてん》野郎だぜ。騙《だま》されてるのも気づかねえなんて、哀れな野郎だなあ……」

「おれのことならしんぺえねえよ。それより松吉、おめえは小桜ってガラじゃねえな。どうみても姥桜《うばざくら》がお似合いでえ」

「なんだと、この野郎」

立ち上がる二人の間に、割って入る番頭だが、すぐに弾き飛ばされる。

「お二人とも、落ち着いてください。乙《おつ》な女なら他にもおりますから」

再び二人の間に割って入った番頭だが、万造に、羽織《はお》っていた半纏《はんてん》の襟《えり》をねじり上げられる。

「うるせえ、この野郎。こうなったら、小桜だろうが姥桜だろうが、どうだっていいんでえ。男の意地なんだよ。すっこんでろ」

反対の襟は松吉につかまれる。

「そうだ。ここで引いちまったら男が立たねえ。それが江戸っ子ってもんでえ。なあ、万造」

「おおよ。いいこと言うじゃねえか」

番頭は、二人に振り回されて、半泣きになる。

「あなたたちは、一体だれと喧嘩《けんか》してるんですか。相手が違うでしょ」

この夜は、傷《いた》み分けということで、お開きとなった。もちろん久蔵のことは放置したままである。


翌日の夕刻、松吉の家に万造がやってきた。

「よう、松ちゃん、いるけえ。肴《さかな》は持ってきた。酒はあるんだろ」

「なんでえ、いきなりやってきやがって。酒屋が酒を切らせるわけがねえだろ」

ひと晩すぎると、昨日のことなどすっかり忘れてしまうのが江戸っ子だ。

万造は、まるで自分の家のように自然な仕種《しぐさ》で上がりこむと、自分専用の茶碗と、佃煮《つくだに》を箱膳の上に置いた。松吉は松吉で、長年連れ添った女房のように酒の支度《したく》をする。絶妙の間《ま》だ。

酒を口に運ぶと、鼻をヒクつかせる万造。何かを喋《しゃべ》りたくて仕方ないときの癖だ。それを察知した松吉が――。

「何やらおもしれえ話を持ってきたようじゃねえか。早く話しやがれ」

万造は、もったいつけて酒をひと呑みした。

「ゆんべのおれたちのことを思い出してみな」

「ゆんべって、おれとおめえが、取っ組み合ったときのことか」

「そうだよ。おれたちは何がもとで喧嘩になったんだ」

「そりゃ、その、何だよ、万ちゃんが、小桜の馴染みだなんて知らねえからよ、なんだか無性に腹が立つじゃねえか。万ちゃんだって同じだろ」

万造は、手の平《ひら》で膳を叩いた。

「そこだ。てめえのもんだと思っていた女に別の馴染みがいた。それも身近にだ。いって男ってもんは、そんなとき、どうしようもなく、火花を散らしちまうもんだ。いってみりゃ男の性《さが》ってやつだ」

「そういやあ、海苔《のり》屋の犬もサカリがついたときに、乾物《かんぶつ》屋の雌《めす》犬を追いかけ回してたけどよ、他の野良犬が近づいただけで、牙《きば》を剥《む》いて吠《ほ》えてやがったな」

「あははは。それが男ってもんよ。犬だって人間だって変わりゃしねえ。さてと、そこでだ……」

ここで万造は少し身を前に乗り出した。

「久蔵の野郎、お梅ちゃんの腹が出てきただの、てめえが父親じゃねえだのとウジウジしてやがるが、そんな気持ちになるのは、お梅ちゃんと所帯を持つことが決まってるからだ。あの野郎、心のどこかで、てめえが我慢すればお梅ちゃんを救えると思ってやがる。つまり受け身になってるってこった。男ってもんは、てめえから女に惚《ほ》れなくちゃならねえ。相手が訳ありならなおさらだ」

松吉は天井を見つめて考えこむ。

「万ちゃんの言ってることはわかるけどよ、それがゆんべの取っ組み合いと、どんな関係があるんでえ」

「もしもだ、お梅ちゃんをはらませた男が、名乗り出てきたらどうする」

「湯屋で、お梅ちゃんを襲った男が……か」

「そうだ」

「そんな野郎は、袋叩《ふくろだた》きにして大川《おおかわ》に放り込んでやらあ」

「それは、俺たちの気持ちだろ。おれが言ってるのは、久蔵はどう思うかってことだ。本当の父親が出てきて『お梅さんと、生まれてくる子供は、私が幸せにします』なんぞとほざいてみろ。久蔵はウジウジなんかしていられねえ。戦わなきゃならねえんだ」

松吉は首を捻《ひね》る。

「そうかなあ……。あの意気地《いくじ》なしのこった。余計にへコんじまうかもしれねえ」

「そんなことはねえ。そこで、久蔵の男としての性が目覚めるんだよ。そこで引いちまうようじゃ、久蔵は、お梅ちゃんの本当の亭主、生まれてくる子供の本当の父親にはなれねえ。そうは思わねえか」

松吉はしばらく黙っていたが、やがて小さな声を発した。

「はじめてだ……」

「な、何がはじめてなんでえ」

「はじめてだ。万ちゃんと長年付き合ってきたけどよ、おめえの言葉を聞いて感動したのは、はじめてだ」

「て、てめえ、褒《ほ》めてんのか、けなしてんのか、どっちだ」

「褒めてるんだよ。だけどよ、そんな男が出てくるわけねえだろ。袋叩きどころか、小伝馬町《こでんまちょう》送りだぜ」

万造は、余裕の含み笑いを見せる。

「そこんとこは、ちゃんと考えてあんのよ。猿江町《さるえちょう》に新助《しんすけ》って大工がいる。おれの幼馴染《おさな》みだ。そいつに寛次《かんじ》っていう弟がいる。こいつは流山《ながれやま》あたりで大工の見習いをやってたが、腕が悪くて使い物にならねえ。お払い箱になって、新助のところに転がり込んできやがった。おれも何度か会ったことがあるが、ボーッとした野郎だ。箸《はし》にも棒にもかからねえ。こいつにしようと思う」

「お、お梅ちゃんをはらませた男に仕立てるのか」

「なあに、しんぺえねえよ。ただ、何かあったときに本当にいる男じゃねえと具合が悪い。筋書《すじが》きはこうよ。猿江町に住む大工見習いの寛次って男が、おれと松吉が呑んでる居酒屋にやってきた——」

万造は鼻をヒクつかせた。


居酒屋に呼び出された久蔵はいつもと違う万造と松吉の様子を感じ取っていた。

「ちょうど久ちゃんが座ってるとこだ。その男が腰を下ろしたのは……」


「万造さん、ご無沙汰《ぶさた》してます」

「おお、寛次じゃねえか。ここんとこ新助にも会ってねえが、兄貴は元気か。そんなとこに突っ立ってねえで座れよ」

「へえ、おかげさんで……。あ、あの、こちらさんは……」

「おけら長屋に住んでる酒屋の松吉ってんだ。まあ、言ってみればおれの相棒みてえな野郎だよ」

寛次は松吉に軽く会釈《えしゃく》をすると、神妙な顔をして目を伏せる。

「なんでえ、辛気《しんき》くせえツラしやがって。そういやあ、おめえ、流山で大工の見習いをやってたって聞いたが、暇《ひま》を出されたそうじゃねえか」

「へえ。あっしが不器用なもんで、仕方ありません。じつは万造さんに話がありまして……。松吉さんも、おけら長屋に住んでいるんなら一緒に聞いてもらいてえ」

寛次は背筋を伸ばして、両手を膝の上に置いた。ただならぬ雰囲気に、万造と松吉は顔を見合わせた。

「おけら長屋に住む、表具職人の卯之吉さんのところに、娘さんがいるでしょう」

「お梅ちゃんのことか」

「そうです。そのお梅さんが、身籠もっていると聞きました」

「ああ。それが、おめえとどんな関係があるんでえ」

唇《くちびる》を嚙《か》みしめて、俯《うつむ》く寛次に二人はイラつく。

「おめえは何が言いてえんだ。はっきりしやがれ」

寛次は意を決したように、顔を上げた。

「お梅さんのお腹にいる子の父親は、あっしなんです」

「そうかい。そりゃ、めでてえ話じゃねえか……って、な、何だと。も、もういっぺん言ってみろ」

「ですから、お梅さんを、はらましちまったのはあっしなんです」

いきなり殴《なぐ》りかかろうとする松吉を押さえつける万造。

「まあ待ちなよ、松ちゃん。殴るのはいつでもできらあ。身元も割れてるしよ。ここはひとつ、じっくりと話を聞こうじゃねえか。こんなときこそ腰を据えなきゃいけねえ。お梅ちゃんが襲われたのは湯屋ってことだが」

「へえ。相生町《あいおいちょう》にある湯屋で。修業先の棟梁《とうりょう》と、うまくいってなくて……。その日もさんざっぱら怒鳴《どな》られて飛び出してきました。ヤケ酒をくらって、湯屋にへえったら、若い娘さんが一人でいて……、むしゃくしゃしてたもんだから、つい、その……、本当に申し訳ねえことをしました」

またしても殴りかかろうとする松吉を押さえつける万造。

「黙ってりゃわからねえもんを、どうして名乗り出てきやがった。先方の出方によっちゃ後ろに手がまわるんだぞ」

松吉は強い口調で吐き捨てるように言った。

「けえれ。見逃してやるから、けえれ。それから、このことは今後一切、だれにも口外しちゃならねえ。もしだれかに喋りやがったら、江戸にゃ住めねえようにしてやるからな。お梅ちゃんのことは、おけら長屋の中じゃ、丸く収まろうって話なんでえ。今さら、てめえみてえな野郎がしゃしゃり出てくると、面倒なことになるんだよ。わかったら、とっととけえれ」

低姿勢だった寛次の目が鋭くなった。

「そりゃ、どういうことですか。丸く収まるってえのは……。どういうことなんですか」

万造は顎《あご》を動かして、松吉に「教えてやれ」という合図を送った。

「お梅ちゃんは、おけら長屋に住む久蔵って野郎を好いてたんだよ。それがこんなことになっちまって。このままじゃ、お梅ちゃんは嫁にいくこともできねえ。そこで久蔵がお梅ちゃんと所帯を持つことになったんでえ。なんとも男らしい野郎じゃねえか。お梅ちゃんの両親《ふたおや》、卯之吉さんとお千代さんも胸を撫《な》で下ろしたってわけよ。だからこの話に、おめえがへえり込んでくる隙間《すきま》はねえんだよ」

「その。久蔵って人は、何をしてる人で」

「呉服問屋、近江屋の手代《てだい》だ。まだ二十一歳だがよ」

寛次は、右手の拳《こぶし》で卓を叩いた。

「その久蔵って人が、生まれてくる子供の本当の父親になれるんですかい。なれっこねえ。だって、父親はあっしなんですから。久蔵さんだって心の底じゃ後悔してるに決まってらあ。その子を幸せにできるのはあっしだけなんです。先日、あの娘さんが回向院《えこういん》の前を歩いているのを見かけました。身籠もってるじゃありませんか。あのときの……、間違いねえ。あれは、あっしの子です。そう思ったら居ても立っても居られなくなりました。あっしの子が、あの娘さんのお腹の中にいる……。そう思ったら、もう愛おしくて仕方がねえ。身勝手なことを言ってるのは百も承知です。でもてめえの気持ちに嘘《うそ》はつけねえ。それで、あの娘さんが、おけら長屋に住んでるってことも調べました。おけら長屋といやあ、兄貴の幼馴染みの万造さんが住んでる長屋だ。これも何かの縁だ。あっしは名乗り出て『お梅さんと、生まれてくる子供を守りてえ、幸せにしてえ。一生をかけて償《つぐな》いてえ』って言うことに決めたんです。許してもらえねえときは、奉行所に突き出されようが、島流しになろうが、そんなこたあかまわねえ。ただ、このまま逃げることはできねえんだ。それが、今のあっしの素直な気持ちなんです」

久蔵は、だまってその作り話を聞いていた。視線はまったく動かない。

「どうするよ、久蔵。あんな野郎に、お梅ちゃんと、生まれてくる子供を渡しちまっていいのか。今回ばかりは、おめえを焚《た》き付けねえよ。おめえの人生はおめえが決めるんだ。寛次は生まれてくる子の父親かもしれねえが、お梅ちゃんを襲った野郎だ。どうするかはおめえ次第だ」

久蔵は静かに立ち上がると、店を出ていった。松吉は、その丸くなった背中を目で追いながら――。

「やっぱり、まずくねえか。久蔵が引いちまったらどうする。お梅ちゃんとは所帯を持ちたくねえ、などと言いだしたら、元も子もねえだろ。ぶち壊しじゃねえか。それもこんな作り話でだ。おれたちは、おけら長屋で村八分《むらはちぶ》だぞ」

万造は開き直ったように笑った。

「今だって、村八分と同じようなもんじゃねえか。おれたちのことなんてどうだっていいんだよ。問題は、久蔵が本物の亭主や父親になれるかってこった。そのためなら喜んで嫌われ者になろうじゃねえか」

「よーし、よく言った。おれも乗ろうじゃねえか。それでこれからどうする。久蔵の出方待ちか」

万造は大仰《おおぎょう》に腕を組んだ。

「こうなったら長屋の連中も巻き込んじまおうぜ。今、久蔵にした作り話を、それとなく長屋のやつらに流す。ただし、お梅ちゃんの一家には絶対に内緒だって条件つきでな。そんな話が、お梅ちゃんの耳にへえって、お腹の子に障ったら一大事だ。まずは八五郎《はちごろう》さんのとこの、お里《さと》さん。それから佐平《さへい》さんのとこの、お咲《さき》さんあたりが最適だ。うまい具合に噂《うわさ》を広めてくれるさ。どんなオチがつくかはわからねえ。開けてびっくり玉手箱ってやつよ。なんだかワクワクしてくらあ」

この噂を耳にした徳兵衛と島田鉄斎が驚いたのはいうまでもない。

「島田さんは、だれからこの話を聞きましたか」

「お里さんです。徳兵衛さんは」

「お染さんからです。今朝《けさ》、頼んでおいた羽織《はおり》が縫いあがりましてね。それを届けてもらったのですが、そのときに」

鉄斎は小さな声を出して唸《うな》った。

「う～ん……。千吉という男には、軽はずみなことはするなと釘を刺したのですが。こちらから先に手を打つべきでした。だいぶ煮詰まっているようでしたから」

「しかも、よりによって、万松のところに行くとは、千吉という男も運のない男ですな。最悪の事態を招きかねませんぞ」

おけら長屋には「万松は禍《わざわい》の元」という格言があるほどだから、二人の焦《あせ》りようは理解できる。

「島田さん、どうしますか」

「柳島町の十間橋長屋に千吉を訪ねてみましょうか。いや、その前に、万造さんと松吉さんから、詳しいいきさつを聞く方が先でしょう」

「お願いできますか。私はあの二人を相手にして、冷静に話すなどとてもできません。頭に血が上って倒れるのがオチです」

鉄斎は、万松の行きつけの居酒屋に顔を出した。万造と松吉にしても、その理由は察しがつく。

「噂ってえのは、広がるのがはええなあ。島田さん、おれたちに聞きたいことがあるってえのは、お梅ちゃんの、その……、例の件でしょう」

鉄斎は顔を縦に動かす。

「そうだ。その男とは、どうやって知り合ったんだ。あんたたちを、おけら長屋の住人と調べた上で、自分がお腹の子の父親だって打ち明けたのか」

「まあ、そういうことです。ただ偶然だったのが、その野郎は、おれの幼馴染みの弟だったんです。俺とも知らねえ仲じゃねえんで」

あの千吉が、万造の知り合いだったとは。それならばなぜ、あのとき南辻橋で自分に声をかけたのだろう。最初から万造に話せば済むことなのに。

「その男は、何と言ってきたんだ」

「湯屋でのことは、そりゃもう後悔してました。本当に申し訳ねえことをしたって。なあ、松ちゃん」

「回向院あたりで、腹のせり出たお梅ちゃんを見かけたようです。それでてめえの子だって知ったんでしょう。情が湧《わ》くのはわかりますけどね、今さら幸せにしてえだなんて、調子のいい野郎ですよ」

「久蔵さんには話したのか」

「もちろんです。久蔵に話さねえと意味がねえんで……、いや、その、久蔵にはしっかりしてもらわねえと。あいつは当事者なんですから。だって、生まれてくる子の父親になろうって男なんですよ」

鉄斎はその足で、柳島町の十間橋長屋へと向かった。千吉はちょうど仕事から戻ったところで、井戸で手足を洗っていた。

「あっ、島田さん……」

「なぜ、万造さんに会いに行った。こちらから連絡すると言ったではないか」

千吉は狐《きつね》につままれたような顔をした。

「はあ……、万造さんって、だれのことです」

今度は鉄斎が、狐につままれたような顔をした。

「あんたに兄さんがいるだろ。その兄さんの幼馴染みの万造さんだよ。あんたも知っているはずだ」

「何のことだか、さっぱりわかりませんが……。兄貴はいましたが、生まれてすぐに死んだそうです。何かの間違いじゃありませんか」

千吉の目に嘘はなかった。

「そんなことより、お梅さんのことはどうなりましたか。親御さんには話してもらえたんでしょうか」

この男は、万松が話していた人物ではない。

「正直に言おう。あんたのことはまだ何も話していない。あんたのことをどう扱ってよいのか、わからんのだ」

「そんなあ……。あっしは両親にも兄弟にも死なれて、天涯孤独の身の上です。血がつながってるといやあ、お梅さんのお腹の中にいる子だけなんです」

「だが、お梅ちゃんは、あんたのことを受け入れられるのかな。あんたの目をまともに見れるのかな。あんたは血だとか、自分の子だとかにこだわっているようだが、そんな簡単な問題じゃない。とにかくしばらく時間がほしい。頼む」

柳島町から、万松が呑んでいる店までは歩いて四半刻《しはんとき》（三十分）もかからない。

鉄斎は自然と早足になった。

万造と松吉は、かなりいい気分になっている。

「で、これからどうするんだよ」

松吉の質問に万造が苦笑《にがわら》いする。

「おれたちの十八番《おはこ》は、行き当たりばったりじゃねえか。どうなるかなんてわからねえ。ただ、俺たちが起こした茶番で、久蔵の何かが変わってくれればいいのよ。それにしても、人なんて、簡単に騙されるもんだな」

「ああ。お梅ちゃんのとこを除けば、だいたい長屋には広がったみてえだ。しかし寛次の野郎もびっくりするだろうよ。おけら長屋じゃ、ちょっとした有名人だからな。まさかてめえがお腹の子の父親にされてるとは、夢にも思っちゃいねえだろ」

だれかが、隣の席に音もなく座った。

「ほう、だれが父親にされてるんだ。寛次というのは何者だ」

万造と松吉は同時に声を上げる。

「し、島田の旦那……」

鉄斎は店の者に、酒を一本注文した。

「面白《おもしろ》そうな話じゃないか。さてと、子細《しさい》を聞かせてもらおうか」

観念した万松の二人は、鉄斎にすべてを打ち明けた。

酒を口に運びながら、鉄斎は、黙って話を聞いている。

「長屋の連中に知れたら、風当たりが強くなるんだろうなあ。しかも冷てえ北風だ。まあ、いつものことだけどよ。これ以上は落ちねえと言われているおれたちの評判が、さらに落ちる。なあ、松ちゃん」

「あはは。ちげえねえや。鬼みてえに真っ赤になった大家の顔が目に浮かばあ。ねえ、島田の旦那、何か言ってくださいよ。黙ってられるのが一番つれえや」

鉄斎は猪口を置いて、鼻の頭を指先で掻《か》いた。

「優しいなあ、あんたたちは。本当に久蔵さんのことを心配してるんだな。そうか、久蔵さんはそんなに追い詰められていたのか。よく考えてみれば、もっともな話だ。迂闊だったな。おけら長屋の住人の一人として、気づいてやれなかったとは情けない。すまん」

「島田さんが謝ることはねえでしょう。頭を上げてくださいよ」

「確かに、あんたたちの言う通りかもしれない。このままじゃ久蔵さんと、お梅ちゃんは所帯を持っても、幸せになれないかもしれんな。もちろん生まれてくる子供もだ」

しばらく何かを考え込んでいた鉄斎だったが——。

「あんたたちは、思った通りにやればいい」

「思った通りって言われても……」

「答えなど求めずに突っ走るのが万松のやり方なんだろう。だったらそうすればいい。ところで、その寛次というのは、どんな男なんだ」

「大工仲間からは『折れた釘』『柔らけえトンカチ』『刃のねえカンナ』なんて呼ばれていたそうで」

「そりゃ、使い物にならねえってことじゃねえか」

「二年間、修業しても箱ひとつ作れねえ。そのくせ、てめえはお払い箱になったっていう乙な野郎でさあ」

「小難しい言い方をすれば、馬鹿ってことじゃねえか」

鉄斎も二人の掛け合いに、表情を和《なご》ませる。

「そりゃ、ちょうどいい。その寛次という男を、久蔵さんに引き合わせてみてはどうだ。どうなるかは、わからないが、このままにしておくわけにもいくまい。確か番小屋《ばんごや》の当番は、うちの長屋だったな」

「ええ。五日先まで」

江戸の各町には、番小屋と呼ばれる自身番《じしんばん》があり、町民が交代で夜番をしていた。

「番小屋でなら長屋には知れないだろう。筋書きは、私が考えようか」

「そこまで島田の旦那を頼るわけにはいかねえ。おれたちにまかせてくだせえ。これはおれたちの仕事だ」

番小屋は引き戸を開けると床《ゆか》は土間《どま》だが、奥は六畳の座敷《ざしき》になっている。その座敷に陣取っているのは、おけら長屋の大家、徳兵衛と、酒屋の松吉。そして、近江屋の手代、久蔵である。「徳兵衛さんには、立ち会ってもらった方がよいだろう」というのが鉄斎の意見だった。久蔵は落ち着かない様子だ。

「久蔵、緊張することはない。とりあえず相手の話を聞こうじゃないか」

徳兵衛からの言葉に、久蔵は背を伸ばす。久蔵の心は大きく揺れていた。もうすぐ、お梅のお腹にいる子の父親がここに来る。自分はどう対応すればいいのだ。


そのころ、鉄斎は千吉を連れて、柳島町から亀沢町《かめざわちょう》の番小屋に向かって歩いていた。

「お梅ちゃんはな、同じおけら長屋に住む、呉服問屋の手代で久蔵という男を好いていたんだ。将来を誓い合った仲ではない。お梅ちゃんが秘《ひそ》かに思いを寄せていただけだがな。だが、お梅ちゃんは、湯屋であんたに襲われて、だれが父親かわからない赤ん坊を身籠もってしまった。好いた男が同じ長屋に住んでいるというのにな。あまりにも不憫ではないか」

千吉は歩きながら、黙って鉄斎の話を聞いている。

「うちのおけら長屋は、お節介《せっかい》が多くてな。その中でも万造と松吉という二人が手に負えない。長屋じゃ、久蔵やお梅ちゃんにとって、兄貴分のような存在だ。お梅ちゃんはもうまともな先には嫁《とつ》げんだろう。お節介の二人とすれば、久蔵とお梅ちゃんを一緒にさせようとするのが当然だ。久蔵はそれを受けた。お梅ちゃんの両親、卯之吉さんと、お千代さんも久蔵には感謝してるだろう。おけら長屋にしても、それが最善の落ち着き先だ。だが、久蔵はまだ二十一歳の手代だ。大きくなってくるお梅ちゃんの腹を見て、久蔵の不安も大きくなってくる。自分は父親になれるのかってな。お梅ちゃんが身籠もっていることを知ってあんたが苦しんだように、久蔵も苦しんでいるんだ」

二人は四ツ目《よめ》通りを、南に向かって歩き、堅川《たてかわ》沿いを右に曲がる。

「万造や松吉だって苦しんでる。おけら長屋のために久蔵を犠牲にしてしまったことをな。だが同時に、久蔵とお梅ちゃんには幸せになってほしいと、心から願っている。それには久蔵が一点の曇《くも》りもなく、お梅ちゃんと生まれてくる子供の心に入っていくしかない。さて、万造と松吉はどうしたと思う」

千吉は何も答えない。

「千吉さん、これから話すことは偽《いつわ》りのない真実だ。信じられないかもしれないが本当の話だ。私を信じてほしい。万造と松吉は、お梅ちゃんをはらませた男が名乗り出てくることを思いついたんだ。あんたと同じで『ちゃんとけじめをつけたいんです。必ず幸せにします』ってな。さて、久蔵はどうするか。万松……、うちの長屋では、二人のことをこう呼ぶのだが、万松はな、久蔵に、与えられた幸せではなく、幸せを勝ち取ってもらいたいんだ。今夜、万造が亀沢町の番小屋に、お梅ちゃんをはらませた男を連れてくる。もちろん偽者《にせもの》だ。その男が偽者だと知っているのは、万松とおけら長屋の大家さんと私の四人だけだ。今夜、久蔵は番小屋でその男と対面する。どんな展開になるのか想像もつかん。最後はどうなるかわからない。これは賭《か》けだ」

「島田さんはあっしに、どうしろというんで……」

「これから、その茶番劇を覗《のぞ》きに行く。なんたって、その偽者の男は、千吉さんの代役みたいなもんだからな」


番小屋の引き戸が開き、万造が一人の男を連れて入ってくる。

「こいつが、新助の弟で寛次です」

寛次はうなだれて、万造の背中に隠れるようにしている。無理もない。寛次はこの番小屋に来ている意味をよく理解していないのだ。

《いいか、おめえは下を向いてろ。何か聞かれたら、おれか松吉が答えるから、おめえは同じ台詞を繰り返してりゃいいんでえ。「申し訳ありません」「償いてえんです」なんぞと言ってろ。そうすりゃ、おつむてんてんってこった。それでも駄目なときは泣いてごまかせ。なーに、ほんの半刻だ。無事に乗り切ったら、吉原で遊ばしてやるからよ》

筋書きは考えるといった鉄斎を制して「俺たちにまかせてくれ」と大見得《おおみえ》を切っ

た万松の二人だが、所詮《しょせん》はこの程度の手配りしかできない。

「とにかく、こっちに上がってもらいなさい」

徳兵衛が毅然《きぜん》とした口調で言うと、万造と寛次は座敷に上がり、寛次は正座をした。

「寛次さんといったね。だいたいの話は聞きました。あんた、償いたいそうだね」

寛次は下を向いたままだ。さっそく、万造が助け舟を漕《こ》ぎはじめる。

「お梅ちゃんにしたことは心から後悔しているようです。魔が差したって土下座をしてましたから。まあ、今さら謝られたって仕方ねえけどよ。それより、久蔵、この野郎に何か言ってやりてえことはねえのか」

久蔵は何も言わない。煮え切らない久蔵の態度に松吉も苛立《いらだ》つ。

「久蔵。おめえ、お梅ちゃんと所帯を持つと言った言葉に二言はねえんだろうな。どうなんでえ」

徳兵衛が割って入る。

「久蔵を責めても仕方なかろう。寛次さん、あんた簡単に償うというが、実際にどうするつもりなんだい」

横から万造が――。

「そりゃ、つまり、許してもらった上で、お梅ちゃんと所帯を……」

「万造、お前に聞いてるんじゃない。この寛次って人に聞いてるんだ。どうなんだ」

焦ったのは寛次だ。

「も、申し訳ありません」

「私に謝っても仕方ないだろ」

「つ、償いてえんです」

「だから、そのやり方を聞いてるんだ」

「お、おつむてんてん」

「な、なんだその、おつむてんてん、ってえのは。私を馬鹿にしてるのか」

「うっ、ううっ……」

「今度は泣き出しやがった」

万造は両手をバタバタさせる。

「で、ですからね、大家さん。この野郎は気が動転してるんですよ。無理もねえでしょ。あんな事件を起こして、ここに出てきたんですから……」

番小屋の引き戸が開いて、いきなり、おけら長屋の連中が入ってきた。左官の八五郎・お里夫婦、たが屋の佐平・お咲夫婦、畳職人の喜四郎《きしろう》・お奈津《なつ》夫婦、そして後家女《ごけおんな》のお染。予期せぬ展開に慌《あわ》てる万造と松吉。平然としているのは寛次一人である。大将格の八五郎は、寛次を睨《にら》みつける。

「大家さん、この野郎か。お梅ちゃんに悪さをしやがったくせに、のこのこ出てきやがったのは」

今にも殴りかかろうとする八五郎を、抱きつくようにして止める女房のお里。

「ごめんよ、大家さん。あたしたちが来ると面倒なことになるってわかってたんだけど、我慢できなかったんだよ。みんな同じ気持ちなんだよ」

佐平も、寛次を怒鳴りつける。

「てめえ、今さら、どのツラ下げて出てきやがった」

万造が両手を広げて――。

「ちょっと待ってくれ。だ、だから、この男は、魔が差して、許してもらって、所帯を持って……」

八五郎の興奮は収まらない。

「万造、てめえに聞いてるんじゃねえ。この寛次って野郎に聞いてるんでえ」

寛次は他人事《ひとごと》のように答える。

「も、申し訳ありません」

「今さら何を抜かしやがる」

「つ、償いてえんです」

「聞いたふうなことをほざくんじゃねえ」

「お、おつむてんてん」

「な、何だ、その、おつむてんてんってえのは。人を馬鹿にしやがって」

「うっ、ううっ……」

「いきなり泣いてやがる」

頭を抱える松吉。

「万造、てめえ。この野郎が、馬鹿だの、使い物にならねえなどと、冗談めかして言ってやがったが、正真正銘の馬鹿じゃねえか」

万造は寛次の後頭部を張り倒す。

「おつむてんてんってえのは、洒落《しゃれ》だろ。本当に言う馬鹿がどこにいるんでえ。そんなこともわからねえのか」

「おつむてんてん」

「まだ言ってやがる」

徳兵衛が両手でみんなを静める。

「万造に松吉。どういうことか説明しなさい。こんなボーッとした男が、お梅ちゃんを襲えるわけがない。お前たちは、一体何をたくらんでいるんだ」

万造と松吉は、互いに目を合わせる。

「ふっふっふ……。バレちまったら仕方がねえ。それじゃ、その答えを、みなさんにお見せしやしょう。おう、松吉、用意はできてるな」

「ああ、表に置いてある」

二人は立ち上がり、ゆっくりと半分開いている引き戸に近づいていく。一同は何が起こるのかと、それを目で追う。引き戸の側まで来ると、二人は突然――。

「逃げろー」

二人は走り去った。啞然《あぜん》とする、おけら長屋の住人たち。

「相変わらず、惚《ほ》れ惚《ぼ》れするような逃げ足だ。てめえも、とっとと出ていきやがれ。話を聞こうにも、役立つとは思えねえ」

寛次は八五郎に叩き出された。

「大家さん、こりゃどういうことなんで」

「さあ……」

いきなり、久蔵が両手を畳につけた。

「すいません。すべて私のせいなんです。私の弱さのせいなんです。万造さんと松吉さんは、私を助けようとしてくれたんです。勘弁してあげてください」

徳兵衛は、土間の長床几《ながしょうぎ》を指差す。八五郎たちはその長床几に腰を下ろした。

「お梅ちゃんと所帯を持つと言ったものの、自信がなくなってきたんです。お梅ちゃんのお腹にいるのは私の子じゃあない。お梅ちゃんが不憫で守ってあげなければいけないと思う反面、子供さえいなければって、思ったこともあります。私は薄汚い人間です。私は子供のころ、血のつながっていない父親に、ずいぶんと苛められました。私も同じことをしてしまうんじゃないかと……。不安で、不安で……」

久蔵は涙声になった。

「無理もねえ話だ。なあ、お里」

「辛かったねえ。久蔵さん。ごめんよ、気づいてあげられなくて……」

久蔵は首を横に振った。

「万造さんと松吉さんは、そんな私の気持ちに気づいたんです。お腹の子の父親が名乗り出てくれれば、私が自分の中にある弱い気持ちを打ち破れるんじゃないかって。無茶なやり方かもしれませんが、それがあの人たちの優しさなんです」

佐平が独り言のように呟《つぶや》く。

「万松のやつら、勝手なまねをしやがって。ほれみろ、最後はロクなことにならねえ」

八五郎は、ここでひと息入れて――。

「だが久蔵、おめえは大きな勘ちげえをしてる。人は血でつながってるんじゃねえ。心でつながってんだ。このおけら長屋の連中を見てみろ。もとはみんな他人じゃねえか。なのにこうして他人のことに必死になってやがる」

お里が続ける。

「久蔵さん。あんた、重い荷物を一人で背負い込む気なのかい。おけら長屋は何のためにあるんだい。その重い荷物を、みんなで少しずつ分け合うためだろ。この長屋に住む貧乏人はね、そうやって生きていくのさ」

お里の言葉を受けて、たが屋の佐平が胸を張った。

「おれたちゃ職人でえ。重い荷物をかつぐのは得意だ。なあ、喜四郎」

喜四郎は「あたぼうよ」と言って、自分の肩を叩いた。

佐平の女房、お咲は嬉《うれ》しそうだ。

「おけら長屋の仲間が一人、増えるんだね。小さな仲間だけど。うちは子宝に恵まれなかったから、久蔵さんとお梅ちゃんの子を抱かせてもらうのが楽しみだよ。ねっ、お願いだから母親の真似事《まねごと》をさせておくれよ」

喜四郎の女房、お奈津も同じ気持ちだ。

「私にも抱かせてくださいね」

「あら、あんたとこは、まだ若いんだから、自分で作りなよ」

後家女の、お染に茶々を入れられ、お奈津は頬《ほお》を膨《ふく》らませる。みんなが笑った。

徳兵衛が久蔵に尋ねる。

「それで久蔵、万松のたくらみは成功したのかい」

久蔵は膝を正し、きっぱりとした口調で――。

「私も、お梅ちゃんも、おけら長屋の一員です。そして生まれてくる子も……。それが私の答えです」

八五郎は大きく息を吐きだした。

「ふー、結局は、万松の手柄《てがら》ってことか。それだけが気に入らねえ」

千吉は横路地《よころじ》に面した番小屋の格子窓《こうしまど》から一部始終を見ていた。その目からはひと筋の涙がこぼれる。

「あっしは、久蔵って人に負けたんじゃねえ。おけら長屋に負けたんだ」

千吉は鉄斎に一礼すると、背を向けて消えていった。鉄斎は格子越しに、徳兵衛の顔を見て小さく頷いた。

久蔵はお梅の家を訪ねた。卯之吉、お千代、お梅の三人はちょうど夕飯が済んだところだ。久蔵は卯之吉に――。

「お梅ちゃんとの祝言《しゅうげん》のことですが、子供が生まれてからにしてもよろしいでしょうか。おけら長屋の子供の誕生です。みんなで祝いたいんです」

卯之吉とお千代は顔を見合わせて笑ったが、それは泣いているようにも見えた。

「それから、今晩、お梅ちゃんを私の家に泊めてもいいですか。どうしてもお腹にいる子と三人で寝てみたいんです」

久蔵は、お梅の腹に耳をあてる。

「あっ、動いた。動いたよ、お梅ちゃん」

「ありがとう。ありがとう、久蔵さん……」

お梅は自分の腹の上に置かれた久蔵の手を優しく握った。お梅を見つめる久蔵の眼差《まなざ》しに、もう迷いはない。

「男だったら、名前は私が付けてもいいかな。うーん、万吉……、松造……」

「それだけは、いやです」

お梅は、そう言って微笑んだ。

本所おけら長屋（二）　その弐

すていし

雲堂庵竹前《うんどうあんちくぜん》と、弟子《でし》の高学《こうがく》、俊学《しゅんがく》が、江戸は深川元町《ふかがわもとちょう》に占術院《せんじゅついん》を開いて三か月になる。三人の名は本名ではない。もともとは与太者《よたもの》あがりの三人なので、町人の名はある。だが、ふとしたときに本名を口走ってしまうこともあるので、普段から偽名で呼び合っている。

雲堂庵占術院は、同じ場所で一年以上、開業することができない。一年ほど荒稼ぎをすると風のように消え、行方《ゆくえ》知れずとなる。今まで、京、尾張《おわり》、大坂《おおざか》とまわり、江戸に流れついた。流れついたなどというと無計画のようだが、それなりの考えはある。彼らは、江戸に入るまでの期間を一種の修業ととらえていた。江戸では一番大きな仕事ができるはずだ。その術をじっくりと学ばなければならない。京、尾張、大坂でその手段をきっちりと学んだ三人は、満を持して江戸に乗りこんできた。

すでに四人の上客が網にかかった。幸先《さいさき》はよい。

ある日の昼下がり、初老の男が占術院を訪ねてきた。はじめての客の応対は高学の役目だ。

「武蔵屋《むさしや》さんから聞いて参った者なのですが」

男は、いかにも商家の隠居といった身形《みなり》をしている。御誂《おあつら》え向きの客だ。

「武蔵屋さんといいますと、八名川町《やながわちょう》の……」

「そうです。油問屋《どんや》の武蔵屋さんです」

高学の口元が緩《ゆる》んだ。類は友を呼ぶのだ。

「隠居の勘兵衛《かんべえ》さんとは古い知り合いでして。こちらの占《うらな》いが、たいへんによく当たると聞きまして、一度お伺《うかが》いしたいと思っておりました」

高学は一段上がった座敷《ざしき》に両膝《ひざ》をついた。

「それは、わざわざご苦労さまなことで。誠に申し訳ございませんが、竹前先生は御岳山《みたけさん》に修行に出ておりまして、三日後に戻ることになっております。四日後の同じ刻限に、もう一度ご来院を願えますでしょうか」

初老の男は残念そうな表情をしたが、高学の好意的な態度には安心したようで、頭を下げると帰っていった。

奥へ続く板の間から、弟分の俊学が現れる。高学が視線で合図をすると、俊学はそのまま表に出ていった。

四日後に初老の男はやってきた。高学はその男を奥の座敷に案内し、真ん中にある座布団《ざぶとん》をすすめた。高学が消えると、入れ替わるように一人の男がゆっくりと入ってくる。黒い絹の着物に、左肩からは銀色の袈裟《けさ》を身につけている。まるで僧侶のような出《い》で立ちだ。そして、ゆったりとした仕種《しぐさ》で初老の男の正面に座った。

「お待たせをいたしました。雲堂庵占術院の雲堂庵竹前でございます」

初老の男は深々と頭を下げてから――。

「私は、乾物問屋相模屋《さがみや》の隠居で与兵衛《よへえ》と申します」

「して、当占術院へのご用向きは……」

与兵衛は返答に困ったような顔をした。

「いや、特にはないのですが、武蔵屋の勘兵衛さんにお聞きしたところ、こちらの占いはたいへんによく当たり、また確かなご助言がいただけるとか。勘兵衛さんも感謝しておられました」

悩みなど何もない能天気な人物が来るところではない。だが悩みを打ち明けるには多少の覚悟も必要だ。話しやすいように手助けをしてあげることが相手の心を楽にさせ、占い師としての信頼も高めることになる。

「そうですか。武蔵屋さんのご隠居がそのようなことを……。お役に立てて何よりです」

「ですから、私も竹前先生に占っていただき、いろいろと助言を頂戴《ちようだい》できたらと……」

「では、さっそく」

与兵衛はここで竹前の言葉をさえぎった。

「あ、あの、施術料はいかほどになりますか」

「百五十文《もん》いただいております」

与兵衛は安堵《あんど》した。勘兵衛からだいたいのことは聞いていたが、相場《そうば》のない世界である。ふっかけられることもあるだろう。二八蕎麦《そば》が一杯、十六文というご時世《じせい》に、百五十文とは、なんとも良心的ではないか。

「ところで、何かお悩みや、気になることはございますかな」

「ええ……、まあ……」

「わかりました。とにかく占ってみることにいたしましょう」

竹前は手を二つポンポンと叩《たた》いた。

「高学に俊学。用意をしなさい」

弟子と思われる二人の男が台の上に載せた石を運んできた。石は円形で、高さは五、六寸ほど。表面には光沢があり、黒光りしている。石を竹前と与兵衛の間に置くと、その両脇にロウソクの火を灯《とも》した。座敷の南側は、障子《しょうじ》と襖《ふすま》の二重になっており、襖を閉めると暗闇《くらやみ》となる。その中で二つのロウソクの灯《ひ》が揺れている。弥《いや》が上《うえ》にも幻想的な雰囲気になる。竹前たちは、このような演出が大きな効果を生みだすことを学んでいた。

「何も考えず、心の中を無にしてこの石を見つめてください」

与兵衛は言われた通りにする。光沢のある黒い石の表面にロウソクの灯が反射して揺れている。

「あ、あの、この石に何か……」

「お黙りなさい。何も考えずに、この石を見つめるのです。ほーら、少しずつ見えてきました。うーん、こ、これは……。なっ、なんと……」

竹前の様子に、与兵衛は動揺を隠せない。

「せ、先生、何か……」

「黙らっしゃい。心を無にしろと言っているのがわかりませぬか」

一喝《いっかつ》された与兵衛は、背筋を伸ばして、ただ石を見つめた。暗闇の中で、静かな時間が流れている。竹前はゆっくりと石から視線を上げた。

「与兵衛さんと申されましたな。あなた、右の肩が重くありませんか」

与兵衛は大きく頷《うなず》いた。

「ええ。数年前から右肩が痛く、手が上がりません。灸《きゅう》などにも通いましたが効果がありませんでした」

「そうでしょうな。鍼灸《しんきゅう》などで治るものではありません。あなたの場合は——」

竹前は途中で言葉を止めて、また石に視線を落とす。相手の不安をあおる絶妙の間《ま》だ。

「あなたには、ご兄弟がおられますな」

「いえ、私は一人っ子で……。兄弟はおりません」

竹前は石を見つめながら――。

「ところがいるんですよ。あなたにはお兄様が。もっとも、この世に誕生することはできませんでしたが」

「と、申しますと……」

「あなたのお母様が流産しておられます。つまり水子《みずこ》ということですな」

「そのような話は聞いたことがありませんが」

「それが問題なのです。あなたのお父様、お母様はご健在ですか」

「いや、私がこの歳《とし》ですから。もう十年以上も前に二人とも亡くなりました」

竹前は低い声で唸《うな》った。

「あなたのお母様は流産したことを隠していたのです。まあ、人様《ひとさま》に言うようなことではありませんからな。ただ、供養《くよう》しなかったのはまずかったですな。身内のだれからも供養されない、それどころか存在さえ知られていない。これでは成仏《じょうぶつ》できないのも当然です。お兄様の心の中は、悔しさ、悲しさ、そしてあなたに対する妬《ねた》ましさで満ちています。本当ならお兄様が相模屋さんの主《あるじ》になっていたはずです。お気の毒な方です。ほら、鬼のような顔をしていらっしゃいますよ。あなたの右肩の上で……」

与兵衛は青くなった。右肩はさらに重くなったような気がする。

「そ、それは本当のことなのですか。いきなり、そのようなことを申されましても」

「本当か嘘《うそ》かなど、私にはわかりません。わたしは、ただこの石から聞こえる声を、あなたにお伝えしているだけです」

与兵衛は突然のことにどう対処すればよいのかわからない。竹前はさらに石を見つめる。

「お兄様の怨念《おんねん》は、あなただけではなく、相模屋さんの中にも忍び込んでいるようですな。今の相模屋さんの主は、あなたの息子さんのようですね」

「はい。宗一郎《そういちろう》といいます」

「うーん、なるほど……、その宗一郎さんのお内儀《ないぎ》は……」

「はい、嫁は、お恵《けい》と申しますが」

竹前は、しばらく間をおいてから——。

「申し上げにくいことなのですが、お二人の夫婦仲は、あまりよろしくないようですな」

与兵衛は肩を落とした。

「そんなこともおわかりになるのですか。私は隠居してから、亀沢町《かめざわちょう》にある、おけら長屋に一人で住んでおります。店の丁稚《でっち》が食事を運んでくることもあるのですが、あまりよい話は聞きません。どうも宗一郎には外に女がいるようで、諍《いさか》いが絶えないようです。お恥ずかしい話ですが……」

「主の夫婦仲というのは商家にとって大切なものです。奉公人《ほうこうにん》たちには悪い影響を与え、得意先からの信用は失う。相模屋さんは、これから大きな危機を迎えることになるでしょう」

与兵衛の背中には冷たい汗が流れる。確かに竹前先生の言う通りだ。商家の核になるのは、なんといっても主人だ。商《あきな》いに身が入らず、外の女にうつつを抜かしているようでは、奉公人たちも身を粉《こ》にして働く気にはなれまい。番頭《ばんとう》の時次郎《ときじろう》は帳簿をごまかし、手代《てだい》の仁助《にすけ》はお店の金を持ち逃げする。得意先は減り、商いは成り立たなくなる。もしそんなことになったら、先代から引き継いだ相模屋は、この代限りだ。

「宗一郎さんとお恵さんの間には、お子さんがいますね。あなたのお孫さんです」

「はい。清一郎《せいいちろう》という孫がおります」

「お身体《からだ》の具合はいかがですか。どこか具合の悪いところがあると思いますが」

「そ、そんなことまで……」

与兵衛は言葉を続けることができずに絶句した。

「今年で五歳になりますが、赤子《あかご》のころから喘息《ぜんそく》持ちで、医者からは空気のよいところで暮らした方がよいと言われております」

竹前は姿勢を正して、与兵衛の目を正面から見つめた。

「今、与兵衛さんや相模屋さんで起こっている禍《わざわい》のもとは、すべて、あなたのお兄様を供養しなかったことにあります。成仏できないお兄様の強く深い怨念が、相模屋さんに凶事《きょうじ》をもたらしているのです」

与兵衛は少し身体を前に乗りだした。

「どのようにして兄の供養をすればよろしいのでしょうか。墓もなければ位牌《いはい》もありません。教えてください。できるだけのお礼はさせていただくつもりです」

竹前は小さな咳払《せきばら》いをした。

「私の占いは『占石術《せんせきじゅつ》』というもので、故人の思いや、悪霊《あくりよう》や怨霊《おんりよう》などの正体《しようたい》を、特別な石を通して知ることができます。石に映ることもあれば、石から声が聞こえることもあります。私はその能力が衰えぬよう、今でも年に何度か修験道《しゆげんどう》の修行をしています。山中での修行により自然と一体となり、心の中にある邪念を無にします」

「それで、御岳山に……」

「はい。与兵衛さん『冠婚葬祭』という言葉の意味をご存知ですかな」

おけら長屋では物知りで通っている与兵衛だ。

「冠が元服《げんぷく》、婚が婚礼、葬が葬儀。祭は、祖先をお祀《まつ》りすること……」

「その通りです。古来より祖先をお祀りすることがいかに大切だったか、おわかりになるでしょう。現世に生きる人には、必ず祖先のだれかが守護神として肩についている。しかしあなたの場合は、そこにお兄様がいる。まずは、あなたの肩からお兄様を離れさせなければなりません。供養はそれからでしょう」

すでに与兵衛の心は、竹前に操《あやつ》られている。同時に、竹前もかなりの手応《てごた》えを感じていた。

「兄を私の肩から離れさせるためには、どうすればよいのでしょうか」

「焦《あせ》ってはいけません。じっくりと時間をかける必要があります。与兵衛さん、あなたは亀沢町にある長屋で一人暮らしをしていると言いましたね。朝夕にやっていただきたいことがあります。上半身だけ裸になり、熱湯に浸《ひた》した手拭《てぬぐ》いを絞って右肩に載せてください。冷めたら、これを三度繰り返します」

「なるほど、右肩を温める……」

「お兄様の心は冷え切っているのです。そして朝には塩、夕には酒を右肩に供えます。少し塗《ぬ》ればよいのです」

与兵衛は、もう一度内容を反芻《はんすう》した。

「それから、この占術院の方角を向いて正座をします。うーん、言葉より私が実際にやって、お見せしましょう」

竹前は正座したまま、両手を天井《てんじょう》に向けて大きく上げた。そしてそのままの体勢で上半身を倒し、顔面を畳《たたみ》につけた。上半身を戻し、手を下ろすと、胸の前で手の平《ひら》を合わせる。

「肩の痛みで右手が上がらないときは、上がるところまでで結構です。これを、朝夕、十度ずつ行います。心の中で『成仏してくれ』などと唱《とな》える必要はありません。大切なのは心を無にすることです。十日間ほどお続けになりましたら、また、おいでください。右肩の様子を拝見いたしましょう」

「は、はい。今後ともよろしくお願い申し上げます」

竹前は、ゆっくりと立ち上がり、部屋から出ていった。弟子の高学という男が、与兵衛の前に座る。

「それでは本日の施術料として百五十文、いただきます」

「本当に百五十文でよろしいのでしょうか」

「はい。先生は金儲《もう》けのために施術をされているのではありません。人助けのためです」

「なんと清らかな方なのでしょう。私たち商人には考えられないことですな。それにしてもよく当たる。石で占うなどとははじめてのことです」

「なんでも霊山として名高い金剛山《こんごうさん》で修験中のおり、飲み食いもせず、不眠不休で無想の禅を組み、十七日目に悟《さと》りを開かれたとか。そのとき目の前にあった石に後《ご》光《こう》が差し、天の声が聞こえたそうです」

与兵衛はすべてに納得したようで、占術院を後にした。

三人は奥の座敷に集まる。卓の上には酒と簡単な肴《さかな》が用意されている。

「やりましたね、兄貴」

「これ、高学、兄貴ではない。私は雲堂庵竹前であるぞ。壁に耳あり障子に目ありだ。いかなるときも気を配らねばならん」

三人は同時に笑った。俊学は竹前の猪口《ちょこ》に酒を注《つ》ぎながら――。

「しかし竹前先生、江戸のやつらはチョロいもんですね。簡単に釣り上げられる」

「入れ食いのハゼみたいなもんでさあ」

「その点、上方《かみがた》は辛《つら》かったな。特に大坂だ。二十両の石を売りつけようとしたら『二両にまけてえなあ』と抜かしやがった。二両まけろじゃないぞ。二両にしろだ。あんなところでは、とても商売にならん」

高学は苦笑《にがわら》いをする。

「十七日間の禅修行の話も、江戸のやつらは信じますけど、大坂ではそうはいきません。『飲まず食わずってありえへんわ。死んでまうやんか。人を信じさすなら、せめて四、五日にしとけや』ですからね」

「まあ、それも今では懐かしい思い出だ。ところで俊学、あの与兵衛という爺《じい》さんのこと、よく三日間で調べあげたな」

「それくらい御手《おて》の物です。それよりも私が知りたいのは、さっきの爺さんに教えていたことです」

高学も同じ思いだったようだ。

「そうです。あの爺さんに、肩を温めろとか、手を上げて拝《おが》むのが朝夕十回とか言ってましたけど、ありゃ何ですか。竹前先生があんなこと言ったのはじめてでしょう」

竹前は口に含んでいた酒を吐《は》き出しそうになった。

「あれはな……」

竹前は言葉の途中で笑いだした。

「先生、笑ってねえで教えてくださいよ」

「いや、我ながら馬鹿《ばか》馬鹿しい名案だと思ってな。俊学の調べで、あの与兵衛という爺さんが、右肩の痛みで灸に通っていることを知った。だから右肩に霊がとり憑《つ》いていることにしたんだ。むかし私も肩を痛めたことがあってな。そのときに医者から教えられたのが、あの方法だ。肩を温めてから、手を大きく上下に動かす。この動作を繰り返すと、かなりの効果があった。だから、あの爺さんにもやらせることにしたのさ。十日間で少しでも肩が軽くなれば、兄の霊が離れたと思うだろ」

高学と俊学は腹を抱えて笑った。

「そいつぁいいや。あの爺さん、知らぬ間にてめえで肩の治療をしてるってことか」

二人の笑いをよそに、竹前は真顔になった。

「さて、これからが勝負だ。高学、相模屋の身代《しんだい》からすると、どれくらいの金が引き出せそうか」

「総額で百両ってとこですかね。ただし一度に取るのは剣呑《けんのん》です。隠居ですから金《かね》蔵《くら》の鍵は握ってません。不安をあおって少しずつ引き出す方が無難です。私の見たところでは、息子には内緒で、番頭に金を用意させるはずです。大金をせしめるのは、こっちがドロンする直前ってとこでしょう」

竹前は、大きく頷いた。

十日後、占術院を訪れた与兵衛は、座敷で竹前と向かいあって座った。横では高学と俊学が並んで正座をしている。

「私がお教えした朝夕の儀式は、欠かさずなさいましたか」

「もちろんです。それで竹前先生、二、三日前から右肩が軽くなったような気がします。いや、明らかに軽くなりました。手も上がるようになりましたし……。もしかしたら、兄はもう私の右肩にはいないのかもしれません」

高学の肩が震《ふる》えだした。それにつられた俊学の息遣いも不規則になってくる。笑いというものは、堪《こら》えれば堪えるほど我慢できなくなるものだ。

「その通りです。もうあなたの肩にお兄様はおられません」

「やはりそうですか。右肩を温めると、安堵した兄の声が聞こえてきたような気がしました」

高学は右手で口をおさえた。指の間からは呻《うめ》き声が洩《も》れる。俊学の上半身は痙攣《けいれん》している。異変に気づいた与兵衛が――。

「お弟子さんたちの様子がおかしいですが」

「与兵衛さん、あなたのお兄様は右肩から離れましたが成仏されたわけではありません。この部屋の中を浮遊《ふゆう》しています。この二人も占術や霊能力の修行をしている身です。浮遊しているお兄様の霊を感じとって、身体に異変が起こっているのです」

高学は口をおさえ、俊学は腹をおさえて倒れこむようにして、部屋から逃げだしていった。

与兵衛は震え上がった。兄の怨念とは、それほどまでに根が深いものだったのか。

「お兄様の霊は、あなたの側を浮遊していますが、早く成仏させないと、息子さんや、お孫さんにとり憑いてしまいます」

「どうすればよいのでしょうか」

「この十日間、私も考えました。そこで――」

竹前は、後ろの棚から風呂敷に包まれた重そうな物を取り出すと与兵衛の前に置いた。結び目を解《と》くと、台の上に南瓜《かぼちゃ》ほどの石が置かれている。

「これは、七名の名高い修験者、僧侶、霊能者たちが、それぞれの魂《たましい》を混入した石です。この石の中に、お兄様の霊を招き入れることができれば……。今の私にはそこまでしか言えません。それでお兄様の霊が落ち着いてくれればよいのですが……」

与兵衛はすがるような目になった。

「ぜ、ぜひお願いいたします」

「ただ、この石は貴重なものです。他にも所望《しよもう》される方がたくさんおられますので……」

「ぜひ私に。お金は明日にでもお届けいたしますので」

「そこまで言われるのであれば、この石にお兄様の霊をお入れいたしましょう」

「いかほどになりますか」

「二十両です」

おけら長屋に住む、浪人《ろうにん》、島田鉄斎《しまだてつさい》は、大家《おおや》の徳兵衛《とくべえ》を訪ねた。

「何やら私に話があると伺いました」

徳兵衛は鉄斎に座布団を差し出して、茶を淹《い》れる。

「いつもすみませんな。この長屋でまともに相談ができる相手と言えば、島田さんしかいないもので」

鉄斎は指先で鼻の頭を掻《か》いた。

「じつは、昨日、相模屋の番頭、時次郎さんが訪ねてきましてな……」

「相模屋というと、与兵衛さんのところの」

「そうです。数日前、与兵衛さんに呼び出され、倅《せがれ》には内緒で二十両を用立ててほしいと頼まれたそうです」

鉄斎は茶碗に浮かんだ茶柱《ちゃばしら》を見つめている。

「二十両ですか。大金ですな。で、番頭の時次郎さんは……」

「与兵衛さんが、あまりにも切迫した様子だったので、翌日に渡したそうです。息子の宗一郎さんは、商売については番頭さんまかせのようですから。ただし、時次郎さんも相模屋の金蔵番です。与兵衛さんには一筆書いてもらったそうですが」

「問題は、その二十両の行方ですな」

「時次郎さんも、それを心配しています。性悪《しょうわる》な女にでも、引っかかっているのではないかと……」

鉄斎の口から笑い声が洩れた。

「いや、これは失敬。つい想像してしまいました」

「島田さんは、与兵衛さんの隣ですから、何かお気づきのことはないかと思いまして」

鉄斎は腕を組んで考えこむ。

「夜に外出をしている気配《けはい》はありませんし、昼も散歩程度のものでしょう。博打《ばくち》や女ではないでしょうなあ。茶の湯の道具には高価なものが多いと聞きますが、そんな趣味があるとは聞いたこともありません。そう言えば……」

少しの間があって――。

「何日か前から、経《きょう》のようなものが聞こえてきます」

「与兵衛さんの家からですか」

「ええ。何かを唱えています。どうやら関係がありそうですな。これは私の勘ですが……」

「どうしましょうか。二十両もの大金となると放ってはおけません」

鉄斎は茶を啜《すす》るとニヤリとした。

「これは、万造《まんぞう》さん、松吉《まつきち》さんの出番かもしれませんな」

「それは、よしましょう。どんな騒ぎになるやら想像もつきません」

「ですが、あの二人ほど鼻が利く者たちはおりません。与兵衛さんは二十両の遣《つか》い道を、息子の宗一郎さんにも番頭の時次郎さんにも隠しているのでしょう。私たちが尋ねても話すとは思えません。こちらで調べるしかありません。それには、あの二人の助けが必要です」

徳兵衛は大きな溜息《ためいき》をついた。

三日後の夜に、万松の二人は徳兵衛の家にやってきた。もちろん島田鉄斎も同席している。

「約束通り、酒と肴は用意してあるんでしょうね」

大家の徳兵衛は、この二人の顔を見るとなぜか不機嫌になる。

「大きな口をたたくからには、調べはついたんだろうな」

万造は自分の胸を軽く叩いた。

「あたりめえのこんこんちきよ。とりあえず酒を出してもらおうじゃねえか。喉《のど》を潤《うるお》さねえと話ができねえ」

万松の二人は茶碗に注がれた酒を一気に呑《の》み干《ほ》した。

「まず、おれたちが探りを入れたのは、隠居仲間でさあ。隠居なんざしちまうと、とたんに人付き合いが狭くなる。付き合うとすりゃ、棺箱《かんばこ》に片足を突っ込んだ隠居同士ってことになる」

松吉が続ける。

「三軒目で大当たりよ。八名川町に武蔵屋っていう油問屋があるでしょ。そこでちょっとした事件が起こってましてね」

鉄斎と徳兵衛は少し身を乗りだした。

「三月《みつき》ほど前のことですが、深川元町に雲堂庵とかいう占術院ができたそうです」

松吉の話に鉄斎が割って入る。

「占術というと占いの類《たぐい》か」

「ええ、占いとか、祈禱《きとう》とか、まあそんなとこでしょう。武蔵屋の隠居、勘兵衛さんがこの占術院に通いだしたそうなんですが、とにかくこれがよく当たる。孫の病《やまい》から、滞《とどこお》っている得意先の掛け、店の手代が鉄火場《てっかば》に入り浸《びた》っていることまでピタリと当てた。なんでも、もとは、七代前のご先祖様に対する供養が足りねえとかで。勘兵衛さんはすっかり心酔《しんすい》しちまって、占い師の言うがまま。三十両もする石まで買っちまったらしい。番頭さんの話じゃ、息子や親戚連中は不審に思っているようですが、勘兵衛さんは聞く耳を持たねえ」

江戸では病気治癒《ちゆ》のため、日常的に祈禱などが行われていたので、珍しい話ではないが、三十両とは法外な額だ。

万造は自分も喋《しやべ》りたくて焦《じ》れている。

「さて、話はここからでさあ。武蔵屋の番頭さんの話だと、勘兵衛さんが与兵衛さんに、この話をしてたってえんです。与兵衛さんには何か悩みごとがあるようで、熱心に聞いてたって。その半月ほど後に、与兵衛さんは、お礼の手土産《てみやげ》を持って武蔵屋を訪ねています」

徳兵衛と鉄斎は顔を見合わせた。

「どうやら、つながったようですな」

鉄斎は小さく頷いた。万造は得意げな顔をして――。

「どうでえ。おれたちの力量ってもんがわかりやしたか。なのにこの肴はねえだろ。佃煮《つくだに》に芋の煮っころがし、胡瓜《きゆうり》の糠漬《ぬかづけ》だけですかい。魚辰《うおたつ》んところから、ドーンと刺身の盛り合わせでも取り寄せて、乙《おつ》な芸者の二、三人も……」

「調子に乗るな」

徳兵衛に一喝されて、万造は首を縮める。鉄斎は笑いながら、万松の二人に酒を注いだ。

「まあまあ、徳兵衛さん。この二人のおかげに間違いはありませんから」

本所深川《ほんじょふかがわ》一帯に多くの得意先を持つ米屋と酒屋の奉公人だ。情報集めは御手の物。鉄斎の読みは当たった。だが、この二人は諸刃《もろは》の剣《つるぎ》、役にも立つが危険も招く。

「でも、なんかくせえなあ」

松吉の言葉に万造は、芋の匂《にお》いを嗅《か》ぐ。

「べつに腐っちゃいねえと思うがな」

「馬鹿野郎、芋じゃねえ。その雲堂庵とか抜かす占い師のことでえ」

鉄斎は二人の掛け合いをさえぎる。

「私もそう思う。占いは古くから庶民だけではなく、天子《てんし》様のまつりごとでも認められてきたものだ。だが、そこまで見事に当てるとなると、何か裏があるような気がするな。それに二十両、三十両という額が大きすぎる。今のところ与兵衛さんと武蔵屋の勘兵衛さんの話だけだが、揃《そろ》って隠居というのも気になる。暇《ひま》のある老人にはつけ入る隙《すき》がたくさんある。まだ他にも高値な石を買わされた人がいるはずだ。徳兵衛さん、そうは思いませんか」

「そうですな。もしその雲堂庵というのが騙《かた》りまがいの占いだとすれば、二十両では済まないでしょう」

万造と松吉は顔を見合わせる。

「いよいよ、おれたちが本格的に、腕を振るうときがきたようですぜ」

「何も頼んでいないぞ」

徳兵衛は切り捨てた。それに対して松吉が――。

「頼まれなくても、やっちまうのが江戸っ子ってもんですから」

憮然《ぶぜん》とする徳兵衛を見て、鉄斎は笑いを堪えた。


七日後に、同じ顔ぶれが、同じ場所に集まった。万松の二人がニヤついているのは、成果があがった証拠だ。

「雲堂庵ってえのは、とんでもねえまがいもんでしたよ。竹前って占い師と、高学、俊学《すじよう》とかいう二人の弟子がいるんですが、三か月ほど前、深川元町に流れつく前の素性がまったくわからねえ。修験者とかほざいてるが怪《あや》しいもんです。やつらの手口もだいたい見えてきました。おう、松吉」

松吉は大袈裟《おおげさ》な咳払いをした。

「武蔵屋の番頭を突っついたら、与兵衛さんだけじゃありませんでした。入江町《いりえちょう》に常盤堂《ときわどう》って薬屋があるでしょう。そこの隠居もやられてますね。都合のよいことに常盤堂の隠居は名代《なだい》のおしゃべりときてる。占いが当たるんで黙っていられねえんでしょ。聞いてねえことまで喋りだしました。

やつらの手口はこうです。はじめての客が来ると、先生は修行に出ているなどと嘘をついて、とりあえず帰す。弟子がその跡をつけて、住処《すみか》、商売、悪い噂《うわさ》なんぞを調べあげます。次に占術院を訪れた客は、竹前の話があまりに当たるので、すっかり信じちまうって寸法で。実際に、はじめて来た客を弟子の俊学という野郎がつけるのも確認しました。それからは、竹前の口八丁手八丁で、やつらの思いのままってことです」

話を聞いていた徳兵衛は、万松の二人に向かって――。

「つかぬことを聞くがな……。お前たちは、ちゃんと本業の仕事をしているのか」

俯《うつむ》く二人に、鉄斎が助け舟を出す。

「いやいや、よく調べてくれた。さて徳兵衛さん、どうしますかな。奉行所《ぶぎょうしょ》に訴えたところで、騙《だま》されたことを証明するのは難しいかもしれません。与兵衛さんたちは、自分の意思で占術院に通い、最終的には自分の意思で高値の石を買っている。なかなか巧妙な手口ですな。それに問題なのは、与兵衛さんたちに、騙されている自覚がないことです。心酔している人が訴えるなど、考えられないことですからな」

徳兵衛は唸るばかりだ。鉄斎は続ける。

「さらに――。これは少し気を回しすぎかもしれませんが、与兵衛さんのことが心配です」

「お金のことですか」

「それもありますが……。もし、その三人組が与兵衛さんたちを騙していたことが明らかになったとします。与兵衛さんは、おけら長屋ではもの知りで通っています。おそらくご自分でもそう思っておられる。それがそんな単純な手口に引っかかって大金を騙しとられたことが知れたら、大きく傷つくことでしょう」

万造は下卑《げび》た笑い声を洩らした。

「そいつぁいいや。いつもおれたちのことをさんざっぱら馬鹿にしやがって。かわら版にネタを売って江戸中にバラまいてやりましょうよ」

「島田さんのおっしゃる通りです。うちの長屋には、こういう馬鹿がたくさんいますからな」

徳兵衛は頭を抱えた。

「洒落《しやれ》ですよ、洒落。大家さんは冗談が通じねえからなあ。つまり、こういうことでしょう。雲堂庵のやつらを懲《こ》らしめて、金を取り返し、与兵衛さんは傷つけねえようにする……」

徳兵衛は吐き捨てるような口調で――。

「口で言うのは簡単だ。実際にどうするかを考えてから言え」

万造は平然と切り返す。

「ところが考えてあるんだなあ。なあ、松ちゃん。大家さんや島田の旦那は、この手の話にゃ素人《しろうと》だから困るんですよ。ああ、情けねえ」

「情けねえとは何だ。人を馬鹿にしおって。それなら、その方法とやらを聞こうじゃないか」

興奮する徳兵衛を、鉄斎がなだめる。

「徳兵衛さん、ここはひとつ頭を冷やして、二人の話を聞いてみようじゃありませんか」

万造は松吉に顎《あご》で合図する。

「今度はこっちが、やつらを騙してやるんですよ。それも同じ方法で。犬も歩けば棒に当たるってやつで」

「だいぶ意味が違っているが、なんとなく通じるから不思議だ」

徳兵衛は苦笑いをする。

「さて、雲堂庵のやつらをどうやって騙すかってことなんですが、ここはひとつ商売人の手を借りることにしました。裏の長屋に井川香月《いがわこうげつ》って、ものずきな戯作者《げさくしゃ》が住んでるでしょ。あの先生に、筋書《すじが》きを書いてもらいてえと頼んだら、二つ返事で承知してくれました。もちろん、与兵衛さんのことは話しちゃいねえ。ちょいと懲らしめてえやつらがいるってね。香月先生のところには、役者も大勢出入りしてるでしょ。こんなおもしれえ遊びはねえって、みんな大乗り気でさあ。どっから話が洩れるかわからねえから、他言無用ってことでお願いしてあります」

徳兵衛は呆《あき》れ顔で二人を見た。

「もうそんなところまで話が進んでいるのか。あの先生にも困ったもんだ。すっかり万松の二人に乗せられて」

万造は背筋を伸ばして胸を張った。

「もちろん、おれたちも裏で手助けします。大家さんは黙って見ててくれりゃいいんで」

「ちょっと待て。そんな猿芝居で……」

「なら、他にどんな方法があるか聞こうじゃねえか。こうしている間にも、与兵衛さんは、もう十両、二十両って、たぶらかされるかもしれねえんですよ。さあ、どうする、どうする」

徳兵衛に反論はできない。

子《ね》の刻《こく》（午前〇時）がすぎても、雲堂庵の奥座敷では酒盛りが続いている。

弟子の高学は、時おり顔をしかめて左の足首を摩《さす》る。

「しかし、出し抜けに雪駄《せった》の鼻緒《はなお》が切れるなんざ、不吉じゃねえか」

「まったくで。ついこのあいだおろしたばかりだってのによ」

湯屋《ゆや》の帰りに、雪駄の鼻緒が切れて転《ころ》び、左の足首を捻《ひね》った高学は元気がない。

「酒を呑《の》めば痛みはとれる」などと強がったものの、足首は腫《は》れだし、痛みは増す。

「どうせ値切り倒して買った雪駄だろ」

竹前は小馬鹿《こばか》にしたような笑いを浮かべ、盃《さかずき》を口に運んだ。

「ところで、金はどうなってる」

俊学は手元にある帳面を開いた。

「締めて二百十両です」

「目標の五百両まで、二百九十両ってことか。チョロい稼業だが、ここから気を引き締めなきゃならねえ。どこでボロが出るかわからねえからな」

高学と俊学は「へい」と短い返事をした。

「武蔵屋の爺《じじい》からは、百五十両の見込みだったが、百両くれえがいいところかもしれねえ。息子や店の番頭が疑いはじめた節《ふし》がある。逆に常盤堂からは、まだまだ引き出せる。そのあたりを読み違えると、面倒なことになる。いずれにしても最後のひと月が勝負だ。震えあがるような脅《おど》しをかけて、出せる限界までの金を引き出す。それを持ってドロンって寸法だ」

三人は同時に高笑いをした。

雲堂庵は平屋《ひらや》の一軒家だ。竹前たちが酒盛りをしている奥座敷に面している雨戸《あまど》の外には小さな庭があり、脇道との境は垣根《かきね》になっている。その垣根に身を隠しているのは、万造と松吉だ。万造は松吉と少し距離をおいている。

「近くに寄るな。そんな気色《きしょく》のわりいもん拾ってきやがって」

「でけえ声を出すな。六間堀《ろっけんぼり》の川端でカラスが死んでた。こりゃ使えるぜ。ほら」

「だから、おれに見せるな。それでこの物干し竿《ものほざお》だが、雨戸まで届くんだろうな」

「ああ、ちゃんと確かめてきた」

二人はそれぞれの物干し竿を垣根の間から差し入れる。竿の先端は雨戸に届いた。二人は顔を見合わせると、激しく物干し竿を前後に揺さぶった。

驚いたのは座敷にいる三人だ。突然に雨戸が大きな音を立てて震えだす。

「じ、地震だ」

反射的に立ち上がろうとする俊学を竹前が制した。

「慌《あわ》てるな。ロウソクも揺れてねえし、雨戸だけだ」

　雨戸の揺れと音は尋常ではない。三人は何もできない。しばらくすると揺れと音はピタリと止《や》んだ。そして断末魔《だんまつま》のようなカラスの鳴き声。

「おい、高学。雨戸を開けて表を確かめてみろ」

「あ、あっしは足が痛いもんで。俊学、おめえがやれ」

　俊学は、おろおろ声になって――。

「か、勘弁してくださいよ。明日の朝に調べりゃいいじゃないですか。どうしてもってえなら、三人一緒にやりましょうよ」

　三人は同時に立ち上がった。

「それじゃ、みんなで雨戸に行くぞ。それっ」

「それっ、て。竹前先生、自分だけ足が前に出てないですよ。ずるいじゃないですか」

　三人は押問答《おしもんどう》を続けながら、恐る恐る雨戸を開いた。目の前には暗闇の世界が広がる。

「だれもいないようです」

「俊学、おまえ、庭に下りてあたりを調べてみろ」

「み、みんなで一緒に行きましょうよ」

「いいから、おまえが行け」

俊学が、縁側《えんがわ》から庭に下りるための石段に右足を載せたとき、何かが足元に落ちてきた。

「うわあー」

絶叫して腰を抜かした俊学は、尻《しり》を縁側に打ちつけた。

「い、いてえ……。な、なんだこれは……。うぎゃあー、カ、カラスが死んでやがる」

俊学は這《は》いずって座敷まで戻ると、そのままの体勢で座布団に顔を突っ込んだ。


その後も雲堂庵では、不吉なことや怪奇的な現象が続いた。

居酒屋で呑む万造と松吉は上機嫌だ。

「やつらはかなり追い込まれているにちげえねえ」

万造はメザシを齧《かじ》りながらニヤついた。

「この前は湯屋で、竹前と俊学の雪駄にも細工をしてやった。これがまたうめえ具合に、歩いているときに鼻緒が切れやがる。しかし万ちゃんのタヌキもすごかったなあ」

「ああ、長桂寺《ちょうけいじ》の境内《けいだい》でタヌキが死んでやがって、和尚《おしょう》さんが困ってたからよ、

『あっしがどこぞに捨ててきますから』ってなもんで、雲堂庵の玄関先に放り込んどいた。ありゃ驚いたにちげえねえ。松ちゃんは何をやったんでえ」

松吉は思い出し笑いをしながら――。

「魚辰が魚をさばくときに出る血を溜《た》めてよ、雲堂庵の玄関にひっかけておいた。やった本人が見ても不気味だったぜ。知らねえやつが見たら、ぶるっちまう」

万造は呑み干した猪口を勢いよく置いた。

「さてと、呑みすぎちまうと仕事に差し支《つか》えるからよ。このくれえにしておくか」

松吉は、お銚子《ちょうし》を振って酒が残っていないか確認する。

「棟梁《とうりょう》の方は大丈夫なんだろうな」

「おう。夕方までには、こさえて仕事場の前に立て掛けておくってよ」

万造と松吉は居酒屋を出ると、三間町《さんげんちょう》に住む大工の棟梁宅へ向かう。住居の裏手にある仕事場の前には、長い竹が立て掛けてあった。二人は竹を横にすると両端に分かれる。

「中の節はくり貫《ぬ》いてあるはずだ。ちょいと試してみるか。松ちゃん、ちょいと耳に当ててくれや」

松吉は竹の端を耳にくっつける。万造がいきなり――。

「う～、わあー」

松吉は竹を放り出して耳をおさえる。

「ば、馬鹿野郎。急にでけえ声を出しやがって、まだ耳の奥でおめえの声が響いてやがる。それにしても、よく声が届くもんだ。出来映《できば》えは上々だな」

それまで、高学、俊学とは別の座敷で寝ていた竹前だが、数日前より二人と一緒の座敷で寝起きしている。怖いのである。それは高学と俊学にしても同じことで、側にいる人が増えれば、それだけ恐怖心は小さくなる。

三人は酒もそこそこにして床《とこ》についた。目が冴《さ》えて眠れる雰囲気ではない。口火を切ったのは俊学だ。

「この家は祟《たた》られてますよね」

暗闇の中は水を打ったような静けさだ。少しの間をおいて高学が答える。

「祟られているのは、この家じゃねえ。おれたちだ。騙りごとで金をまきあげたのはともかくとして、修験者を騙ったのはまずかったんじゃねえですかい。霊山の神様や天狗《てんぐ》の怒りを買ったんですよ。そうに違いねえ。鼻緒が切れて、おれが怪我《けが》をしたことだって偶然じゃねえ。兄貴と俊学の鼻緒だって切れたでしょ。そんな偶然が続くわけがねえ」

竹前は自分を納得させるかのように言った。

「すべて偶然だ。人間は弱気になると妙な考えを起こしてしまうもんだ」

「じゃあ、この前の雨戸は何ですか。カラスやタヌキの死骸《むくろ》は偶然ですか。玄関の血糊《ちのり》はどう説明するんですか。カラスやタヌキは霊山の神からの御告《おつ》げに違いありません。お前たちもこうなるぞってね。ねえ、竹前先生、なんとか言ってくださいよ」

竹前は黙り込んだ。


万造と松吉は長い竹筒を持って、雲堂庵の前にやってきた。まだ時間が早いというので、さらに一杯ひっかけて、かなり酔っ払っている。二人は家の裏手に回り、縁《えん》の下《した》の隙間《すきま》から竹筒を差し入れる。寝ていると畳の下から声が聞こえ仰天《ぎょうてん》するという悪戯《いたずら》だ。

「だいたいこのあたりが座敷の下だろう」

万造は竹の端を口にあてようとする。その横で松吉が尋ねる。

「ところで、何て言うつもりだ」

「やっぱり『うらめしや～』じゃねえのか」

「馬鹿野郎、そりゃ幽霊だろ」

「じゃあ、何て言うんでえ」

「うーん、『音羽屋《おとわや》っ』ってえのはどうだ」

「あっはは。芝居《しばい》見物じゃねえや。笑わせるねえ」

「馬鹿野郎、竹を口にあてて笑うな」

「今、床下《ゆかした》から笑い声が聞こえませんでしたか」

眠れぬ俊学が呟《つぶや》いた。

「高学の寝言じゃないのか」

「あっしなら起きてますぜ」

「気にするな。床下から笑い声などするはずがない」

「でも、起こるはずのないことが、何度も起こってるじゃありませんか」

また黙り込む三人。突然、俊学が上半身を起こした。

「今、『いよっ、待ってました。どうする、どうする』って聞こえませんでしたか」

高学も上半身を起こす。

「おれも聞こえた。空耳《そらみみ》なんかじゃねえ。竹前先生、おれたちは祟られているんだ。このままじゃ、死んじまうか、気が狂うかだ」

床下からの声は、次第にはっきりと聞こえるようになってきた。

「アラ、エッサッサ〜」

「歌ってる場合じゃねえ。地獄へ落ちろとか言いやがれ」

「山神様の祟りじゃ～」

「ああ、小便がしたくなってきやがった」

そして床下からの声は消えた。混乱した三人は頭から布団《ふとん》を被《かぶ》り、朝が来るのを震えながら待った。


翌日の昼すぎ——。

「御免」

玄関からの声に、疲労困憊《ひろうこんぱい》している俊学が出ていくと、そこには一人の托鉢僧《たくはつそう》が立っていた。笠を被り、白かったはずの脚絆《きゃはん》は茶色に変色している。長旅の途中なのだろう。

「当家の方かな」

俊学は、すぐに奥から竹前と高学を呼んだ。

「私は、熊野三山《くまのさんざん》に身をおく修験者で、泉石《せんせき》と申す。熊野権現《ごんげん》において、千日の山岳修行を終え、迷妄《めいもう》を払い、験徳《げんとく》を得た者である。さらなる悟りを開くため、諸国を行脚《あんぎゃ》しており、従って目的地もなければ、終わりのない道を歩くのみ。昨日、江戸に入ったが、強い邪気を感じ、その元を探るべく念を動じ、歩んでいたところ、当家に辿り着いた。失礼ながら貴殿は、真言宗当山派と、天台宗本山派のどちらに属しておられるか。これほどの邪気、悪気を受けて平然としていられるとは並の修験者ではあるまい。どちらで修行をされた。江戸であれば、御岳山《みたけさん》か、それとも高尾山《たかおさん》か。私の推察したところ霊峰《れいほう》の邪気を集め、組み合うおつもりらしいが、このままでは命を落としますぞ」

そのとき、引き戸が開いた。入ってきたのは商家の隠居と思われる老人と、お付きの手代だ。

「お取り込み中でしたら、また後ほどお伺いさせていただきますが、私は武蔵屋さんの紹介で参りました蔵前《くらまえ》にある……」

「この家に入ってはならぬ」

泉石の強い口調《くちょう》に驚く老人。

「早々に立ち去るべし」

呆気《あっけ》にとられていた老人の口元から、血が流れ出し、老人は玄関の土間《どま》に崩《くず》れ落ちた。

「ご、ご隠居様、どうなさいました。ご隠居様〜」

老人は、さらに血を吐き、全身を痙攣させる。芝居では斬られて死ぬことも多い役者である。大袈裟なことこのうえない。

「ご隠居様〜、ご病気などしたことのない方なのに、ご隠居様〜」

「心配は無用。病などではない。邪気に祟られたのだ」

老人は倒れたまま顔だけを上げると、血を垂らしながら、竹前たち三人を指差した。

「霊峰権現の名を騙る不届き者たちよ。苦しみ抜いた末に地獄に落ちろ」

さきほどとは違う化け物のような声だった。老人は、そのまま意識を失った。

「いかん。金剛山の天狗が乗り移った。早く離脱させなければ」

泉石は右手を老人の背中に添えると、呪文《じゅもん》を繰り返す。

「イヤ〜。よし早く連れ出すのだ。命にかかわることではない。床に寝かせ枕元に塩と酒を供えればよい」

老人は手代に担がれて玄関を出ていった。泉石は少し声を低くした。

「さて、霊峰権現の名を騙る不届き者たちとは、貴殿らのことであるな。なるほど、そうであったか」

三人は一斉《いっせい》に土下座《どげざ》をして、頭を床に擦《こす》りつける。

「どうかお助けください。なんでもいたします。お金はいくらでもお払いいたします」

泉石は悲しげな顔をする。

「修行に生きる者に、金などという不浄で卑《いや》しいものを持ち出すとは、よほど性《しょう》根《ね》が腐っているとみえる。まずはすべてを打ち明けることだ」

三人は泉石を奥の座敷に通し、騙りの全容を白状した。

「なんと……。人を騙すどころか、修験者に成り済ますとは。だが私は俗世間とは縁のない身。貴殿たちのことを訴え出たりはせぬ。すべては自業自縛《じごうじばく》。せいぜい苦しんで狂い死ぬがよい。では、これにて失礼する」

三人は立ち上がった泉石の脚にすがりつく。

「お願いでございます。どうかお助けください」

泉石は床の間に置いてある石を指した。

「貴殿らが騙りに使ったのはこの石か。それでは、この石に天狗様の心を映しだしてみよう」

泉石は三人との間に石を置かせると、石に向かって呪文を唱えはじめる。竹前たちはまったく逆の立場になってしまった。

「あ、あの、この石に何か……」

「黙れ。何も考えず、心の中を無にしてこの石を見つめるのじゃ」

三人は言われた通りにする。泉石は石を見つめ続ける。三人は動揺を隠せない。

「せ、先生。何か……」

「黙れというのがわからぬのか。うーん……。こ、これは、なんと……。貴殿ら、脚は痛くないか」

三人は大きく頷いた。

「ええ。湯屋の帰りに雪駄の鼻緒が切れて転びました」

「なるほど……。それは」

泉石は途中で言葉を止めて、また石に視線を落とす。相手の不安をあおる間は、役者だけあって竹前よりも絶妙だ。

「金剛山の天狗の悪戯じゃ。な、なんだこれは。カラスとタヌキが貴殿らを呼んでおる。早くこちらに来いとな」

「そ、それは本当のことでございますか」

「本当か嘘かなど、私にはわからぬ。ただこの石から聞こえる声を伝えているだけじゃ」

三人に『どこかで聞いたことのある台詞《せりふ》だ』などと思う余裕はない。

「騙し取った金はすべて返すか」

竹前は何度も頭を下げる。

「そ、それはもう、すべてお返しいたします。ですが、上方、尾張で騙し取った金は、もう十五両ほどしか残っておりません」

泉石は、再び石を見つめてから――。

「では、天狗のお言葉を言い渡す。江戸で騙しとった金はすべて返すこと。騙りだったことは言わずともよい。それがお互いのためじゃ。五両の金を持って江戸から立ち去れい。二度と江戸に足を踏み入れてはならぬ。よいな」

「それで許していただけるのですか」

「心から自責すればの話じゃ。それから、十両は私が金剛山に奉納し祈禱を捧げておく。さすれば天狗様の怒りも収まろう。ここに十両を持参されよ」

三人は平身低頭《へいしんていとう》した。

おけら長屋に住む相模屋の隠居、与兵衛の心は秋晴れの空のように澄み渡っている。雲堂庵竹前が、二十両を返しに来たのだ。

「お兄様の霊は無事に成仏されました。祈禱には長い月日がかかると思い、二十両をお預かりいたしましたが、もうその必要はなくなりました」

「石はお持ち帰りになりますか」

「いいや、石に手を合わせることは必要です。お兄様だと思って大切にしてください」

竹前はここで一度、言葉を切って――。

「私にはまだまだ修行が足りません。弟子を連れて旅に出ることにしました。どうか与兵衛さんもお達者で……」

与兵衛は餞別《せんべつ》として三両を握らせようとしたが、竹前は頑《がん》としてこれを拒《こば》んだ。世知辛《せちがら》い世の中だが、まだ捨てたもんじゃない。与兵衛は心が洗われていくのを実感していた。

大家の徳兵衛宅では、万造と松吉が正座をさせられ、小言を食らっている真っ最中だ。

「香月先生や役者たちと一緒に、吉原《よしわら》で派手にやったらしいが、その金はどうした」

万造は、わざとらしく首を捻る。

「さあ……。おれたちは香月先生にゴチになっただけですから。なあ、松ちゃん」

「そうですよ。ゴチになれるっていうのに行かねえ馬鹿もねえでしょう」

「お前たち、グルになって金を騙しとったんじゃないだろうな。それじゃ偽《にせ》占い師と同じじゃないか。もともとは人様から騙し取った金だぞ」

万造は小さな声で――。

「なんでえ、おれたちが金を取り返してやったのによ」

「まったくでえ。それを十両ぽっちの金で、ガタガタ言われるなんざ……」

「何だと。もう一度、大きな声で言ってみろ。吉原で遊ぶ金があったら、溜まってる店賃《たなちん》を払え、店賃を」

万松の二人は、同時に徳兵衛を指差す。

「あれー、あれれー。大家さんは、人様から騙しとった金で店賃を払えって言うんですかい」

「う、うるさい。黙れ」

笑いながら話を聞いていた島田鉄斎が割って入る。

「まあまあ、徳兵衛さん、二百十両もの金を取り返したんです。十両くらいは大目にみてはいかがですかな」

「島田さんは、この二人に甘いですからなあ。ますますつけ上がりますぞ」

竹前、高学、俊学の三人は旅支度《たびじたく》という出で立ちで、浅草奥山《あさくさおくやま》の芝居小屋にいた。竹前が、江戸の見納めに芝居でも観《み》ようと言いだしたのだ。

「まったくひでえ目に遭《あ》いましたね。隠居連中に買わせた石だって、ひとつ二朱《しゅ》もしたってえのに……」

「自分たちの身を守るためだ。仕方ねえ」

「これが本当の捨石《すていし》ってやつですね」

「洒落を言ってる場合じゃねえだろ」

芝居がはじまると、高学の目が点になる。

「あ、兄貴、あの占い師役の男……、ありゃ、修験者の泉石先生ですよ」

舞台の上手《かみて》からは、商家の隠居と手代が登場する。

「あ、あの二人は、うちの玄関で血を吐いて倒れた隠居と手代だ。着物や雪駄まで同じだから間違いねえ」

竹前の顔は血の気《け》を失った。

「や、やられた」

殺気立つ高学と俊学。

「馬鹿野郎、落ち着け。事を明かせば、こっちの手も後ろに回るんだ。さすがは、生き馬の目を抜くと言われる江戸。恐ろしいところだ。こんなところに長居をしてたら、ケツの毛まで抜かれちまう」

三人は隠れるようにして、芝居小屋から出ていく。小屋の呼び込みが――。

「お客さん、もう帰っちまうんですかい。天狗の宙吊《ちゆうづ》りが見せ場なんですけどねえ」

「なに、天狗だと。それじゃなおさらだ。何事も途中でやめとくに限る」

竹前は薄笑いを浮かべて背を向けた。

本所おけら長屋（二）　その参

まよいご

押上村《おしあげむら》にある法性寺《ほっしょうじ》で、店の用事を済ませた万造《まんぞう》は、おけら長屋《ながや》に帰るため、亀戸町《かめいどちょう》を歩いていた。西の空には茜雲《あかねぐも》が広がっている。黄昏時《たそがれどき》は人を感傷的にさせる。せっかちで、お節介《せっかい》で、悪ふざけがすぎる万造も例外ではない。

万造は十歳で入江町《いりえちょう》にある米問屋《どんや》に奉公《ほうこう》に出された。それから十六年間、とても勤勉とは言えぬ仕事ぶりだが、妙に機転が利《き》くところがあり、暇《ひま》を出されずに済んでいる。もっともそれは綱渡りにも等しい状況だ。配達の途中、騒ぎに顔を突っ込んで店に戻らないなどは日常茶飯事《さはんじ》で、店の主人の口癖の「ここは米屋だ。油を売りたければ油屋に行け」は、耳にタコができるほど聞かされている。

本所亀沢町《ほんじょかめざわちょう》にある、おけら長屋で一人暮らしをはじめて五年。気ままな生活ではあるが、世間的には、嫁や、子供の一人もいておかしくない年齢だ。夕暮れにふと寂しさを感じても不思議ではない。

あたりはだいぶ薄暗くなってきた。田中稲荷《たなかいなり》の鳥居《とりい》の下に小さな人影が見える。近づいて目を凝《こ》らすと、子供が膝《ひざ》を抱えている。五、六歳の男の子だ。

「おい坊主《ぼうず》。もう陽《ひ》が暮れらあ。はええとこけえらねえと、おっかさんが心配するぜ」

しばらく歩いてから振り返ると、子供はそのままの体勢でうずくまっている。万造は引き返すと、隣に腰を下ろした。

「どうした。悪さしておっかさんに叱《しか》られたのか。はええとこ謝っちまいな。まあ、おれもガキのころから意地っぱりで謝るのは苦手だったけどよ。家はどこだ。もうくれえから、おれが家まで送ってやらあ」

万造が立ち上がっても子供はそのままだ。

「おめえ耳が聞こえねえのか」

子供は首を横に振った。

「じゃあ、口が利けねえのか」

子供は、また首を横に振った。

「じゃあ、名前はなんていう」

子供は膝を抱えたまま無表情で答えた。

「勘吉《かんきち》」

「その勘吉さんが、どうしてここに座ってるんでえ。それもこんな時間によ」

勘吉は黙っている。

「あのなあ。おれは気が短けえんだ。ぐずぐずしてやがると行っちまうからな。ここは神社だ。キツネのお化けが出るぞ」

勘吉は、あたりを見回した。こんなに暗くなっていることにはじめて気づいたようだ。キツネのお化けの話は効果があったらしい。

「迷子《まいご》になった」

「迷子だと。迷子札《ふだ》はつけてねえのか」

万造は勘吉の首や胸を確認したが、迷子札はない。

江戸では、両国《りょうごく》や浅草《あさくさ》などの遊興地《ゆうきょうち》、寺社の祭礼など、人出の多いところにでかけるときは、子供に迷子札をつけさせた。木札に名前や住所などを書いて首にぶら下げる。町奉行所《まちぶぎょうしょ》は迷子の捜索などしてくれなかったので、町人は自衛策を考えるしかなかった。

「なんでえ、迷子札はねえのか。勘吉、おめえ、どこに住んでる」

「わからねえ」

「おいおい。わからねえって、だいたいのことはわかるだろ。浅草とか、両国とか、蔵前《くらまえ》とかよ」

「わからねえ」

「ああ。帰りにこんな小僧に出くわすなんざ、おれは何て運の悪い男なんだ」

万造はゆっくりと立ち上がる。

「おう、勘吉。行くぜ。ついてきな」

勘吉は座ったまま万造を見上げている。

「おめえ、ここにずっと一人で座ってるつもりか。腹《はら》だって減ってんだろう。おめえの家は明日になったら捜してやるからよ」

勘吉は背中を丸めながら万造の後について歩きだした。

亀沢町にあるおけら長屋に着いた万造は、勘吉を家に残して、大家《おおや》の徳兵衛《とくべえ》宅を訪ねた。

「というわけで、申し訳ねえが、自身番《じしんばん》に届けておいてもらいてえんで。人さらいと間違えられたら、てえへんなことになる」

徳兵衛は小刻《こきざ》みに顔を上下に動かす。

「それはお安《やす》い御用だが、その子を、お前さんの家に泊めるというのが心配だ。女手のあるところに頼んだ方がいいだろう」

「それはできねえ。おれが拾ってきたガキだ。面倒はおれがみる」

家に戻ると、勘吉は暗い部屋の中で膝を抱え、お得意の形をしている。行灯《あんどん》に灯《ひ》を入れた万造が――。

「さてと……。まず何をすればいいんだか。とりあえず一杯ってわけにもいかねえからよ。ガキってもんは面倒くせえ」

「万造さん、開けるよ」

返事もしないうちに、引き戸が開く。入ってきたのは八五郎《はちごろう》の女房、お里《さと》と、後《ご》家女《けおんな》のお染《そめ》だ。徳兵衛の差《さ》し金《がね》であることは明らかだ。

「万造さん、とにかくこの子を連れて湯屋《ゆや》に行ってきなよ。ほら、こんなに埃《ほこり》だらけじゃないか。帰ってくるころにはご飯を用意しとくからさ。ご飯っていっても、白いおまんまと、大根の煮物しかないけどね」

お里は、万造に言い返す隙《すき》を与えない。それに続いて、お染が――。

「この子にちょうど合う寝巻《ねまき》があるよ。糸をほどいて、手拭《てぬぐ》いにしようと思ってたボロだけどさ、ちゃんと洗濯はしてあるから。それからね、大家さんのところから布団《ふとん》も運んでおく。今、お千代《ちよ》さんが取りに行ってるよ」

男の一人暮らしは、こんなときに弱い。「余計なまねはしねえでくれ」と言い返したいところだが、世話になるしかない。それにしても長屋の連携はみごとだ。素直に礼を言えない万造だが、感謝の気持ちはちゃんと伝わっている。それが、おけら長屋での暮らしだ。

湯屋から戻ると、箱膳の上には夕飯の支度《したく》ができている。四畳半の隅《すみ》には、布団が畳《たた》まれており、その上には寝巻が置いてあった。

「おう、勘吉。はええとこ飯食って寝ちまいな。明日は、早く起きて、おめえの家を捜さなきゃならねえからよ」

勘吉は箸を握りしめると、飯をかっ込む。よほど腹が減っていたのだろう。

「だれも取りゃしねえよ。落ち着いて食え。喉《のど》に突っかえるぞ」

　万造は飯を食べさせると、布団を敷き、勘吉を床《とこ》に入れる。迷子になって気が張っていたのだろうが、そこはまだ子供。布団に入るとすぐに寝息を立てはじめた。その寝顔を肴《さかな》に一杯やる万造。

「いいもんだな、ガキの寝顔ってえのは。今ごろ、こいつの親はどうしてるんでえ。あちこち捜し回ってるにちげえねえ」

　引き戸が静かに開く。ひょっこり顔をのぞかせたのは酒屋の松吉《まつきち》だ。

「もう寝ちまったよ。へえってくれ。ちょうど酒の相手がほしかったところだ」

　長年の相棒だけに、万造の気持ちを察した松吉は、後ろ手に徳利《とくり》を提《さ》げている。松吉は静かに引き戸を閉めて、座敷《ざしき》に上がりこんできた。

「このガキか。万ちゃんが拾ってきたってえのは」

「ああ。まったくツイてねえや。ところで、おめえの方はどうなった。ミーちゃんは見つかったのか」

　松吉は首を横に振る。一か月ほど前に迷い込んできた子猫を飼いはじめた松吉だが、三日ほど前から姿が見えなくなり途方に暮れている。

「ミーちゃんがいなくなっただけで、こんなにつれえのによ。こいつの親はさぞ心配してるだろうよ……」

「ああ、おれも今、同じことを考えてた」

松吉は自分の徳利から茶碗に酒を注《つ》ぐ。

「で、このガキの家は、わかったのか」

「それが、よくわからねえ。大きな橋を渡ったと言ってたから、両国橋を渡ってきたのかもしれねえ」

「このくれえの歳《とし》になりゃ、てめえの住んでる町の名くれえは言えるだろ」

「こいつ、ほとんど喋《しゃべ》らねえんだ。ひょっとすると、ここが少しよええのかもしれねえ」

そう言って万造は、自分のこめかみを指差した。

「それじゃ、どうやってこのガキの家を捜すつもりだ」

万造は大根の煮付けを指でつまむと、口に放り込んだ。

「やっぱり、お里さんの煮物は絶品だなあ……。明日の朝から、このガキを連れて、近くの迷子石を回ってみるつもりだ。このガキの親が紙を貼《は》りだしてるかもしれねえ。松ちゃん、悪いけどよ、明日の朝、入江町の店に寄って、これに話しちゃもらえねえか」

万造はそう言って右手の親指を立てた。米問屋の主《あるじ》のことである。

「まかせておけって。迷子ってことなら、店の旦那《だんな》が角《つの》を出すこともねえだろ」

江戸では、人通りの多い橋や、寺社の境内《けいだい》などに、迷子石が立てられた。大きな墓石のような造りで、子供がいなくなった親や、迷子を保護した者が、情報を貼りだす。言ってみれば、迷子専用の伝言板だ。迷子石はそれなりに効果があったが、実際には、迷子ではなく、捨て子だったり人さらいだったりすることも多く、江戸での迷子捜しは至難の業《わざ》だった。

「ああ、猫にも迷子石がねえかなあ……」

松吉はそう言うと、茶碗の酒を呑《の》み干《ほ》して帰っていった。持参してきた徳利は膳の上にそのまま置いてある。松吉なりの気遣いだ。万造はその酒をしみじみと呑んだ。

万造は捨て子だった。だから親の顔を知らない。二歳になる春の早朝、下谷《したや》山崎町《やまざきちょう》の長屋に捨てられていた。子供の泣き声がするので住人が出てみると、井戸の柱に帯ごと結びつけられていたそうだ。

「このこ　そだてて　ください　なまえ　ありません」

それだけの書き置きだった。

孤児は最初に保護した町で面倒をみるのが慣《なら》わしとなっていたので、万造はこの長屋に住む源吉《げんきち》という男と暮らすことになった。源吉は鋳掛《いかけ》職人で、五十歳の独《ひと》り者だった。もの静かな男で、万造は、源吉に殴《なぐ》られたり怒鳴《どな》られたりした記憶がない。

源吉が仕事に出ているときは、長屋のおかみさん連中が、食事や洗濯の世話をしてくれた。

七歳になると、長屋の住人たちの厚意で寺子屋《てらこや》に通わせてもらうことになったが、すでに近所でも名代《なだい》の悪ガキとなっていた万造は、寺子屋をサボり、遊び回る始末。読み書きが苦手なのはこのためだ。

十歳のとき、源吉が病気で死に、万造は入江町にある米問屋に奉公に出た。孤児でろくに読み書きもできない万造にとって丁稚《でっち》生活は辛《つら》いものだったが、それを助けたのは、他ならぬ万造の性格だった。諦《あきら》めが早く、嫌なことはすぐ忘れてしまう。長屋の住人に育てられたおかげで、筋金入《すじがねい》りの江戸っ子気質《かたぎ》も手に入れた。この気質は江戸で暮らす者にとっては必要不可欠なものだった。

万造は、勘吉の泣き声で目を覚ました。勘吉は布団に座り込んで、手の甲を目にあてている。

「どうした。なんだかんだ言っても、かあちゃんが恋しくなったんだろ」

勘吉は泣きながら首を横に振る。

「じゃ、どうしたんでえ。腹でもいてえのか」

さらに泣き声は大きくなる。

「ならどうしたんでえ。言ってみろ」

「寝小便した」

「な、なんだと……」

飛び起きた万造が、勘吉を布団からどかすと、布団には大きな染《し》みがついている。寝巻も、びしょ濡《ぬ》れだ。万造は大声で笑いだす。

「あっはっは。こいつぁいいや」

泣き止《や》んだ勘吉は、万造を見上げた。

「怒らねえのか」

「おれの布団だったら張り倒してるとこだがよ、大家から借りた布団と、お染さんから借りた寝巻に寝小便とは、笑えるじゃねえか。勘吉、えれえぞ。よくやった」

勘吉が笑った。万造と出会ってから、はじめて笑った。万造は思わず勘吉を抱きしめた。

「勘吉、てめえ、笑えるじゃねえか。そうか、そうか、寝小便をしやがったのか。う、うわあー、あんまり近づくな。小便がつくじゃねえか」

「だって、おれを抱きしめたのは万ちゃんじゃねえか」

「ちげえねえや。お、おい、勘吉。今、万ちゃんって呼びやがったな」

「だって、昨日の夜に来た、おじさんが『万ちゃん』って呼んでたじゃねえか」

「て、てめえ、起きてやがったのか。油断も隙《すき》もねえ野郎だ」

八五郎の女房、お里と、佐平《さへい》の女房、お咲《さき》が朝飯を運んできた。二人とも濡れた布団を見て大笑いだ。

「布団は干しといてやるから心配しなくていいんだよ」

「寝巻は、私が洗っといてやるよ」

勘吉は、俯《うつむ》いて顔を赤くさせた。

「さあ、はええとこ飯を食っちまって、出かけようじゃねえか。なんとしても今日中に、おめえの家を見つけなきゃならねえ」

その言葉に、勘吉は視線を逸《そ》らした。


万造と勘吉の二人は、吾妻橋《あずまばし》を渡り、雷門《かみなりもん》から金龍山浅草寺《きんりゅうざんせんそうじ》へと抜ける。境内は多くの参拝人で賑《にぎ》わっている。

「いいか、勘吉。おれから離れるんじゃねえぞ。迷子の迷子ってえのは洒落《しゃれ》にならねえ」

伝法院《でんぽういん》と浅草寺の間に、大きな柳の木があり、その横に迷子石があった。背丈ほどある四角い石で、表には「志《し》らする方」、裏には「たづぬる方」と彫《ほ》ってある。

勘吉の親が貼るとすれば「たづぬる方」となる。そこには三枚の紙が貼ってあった。万造は、それを見ていた初老の商人風の男に尋ねる。

「すいませんが、五、六歳の男の子が迷子になったってえのは、貼ってませんかね」

初老の男は、しばらく紙を眺《なが》めていたが――。

「女の子ばかりですなあ。かわいそうだが、こりゃ人さらいじゃな。女の子は高く売れるらしい。物騒《ぶっそう》な世の中じゃ」

礼を言って立ち去ろうとした万造に、初老の男が声をかけた。

「迷子石なら湯島天神《ゆしまてんじん》がよい。あそこの石は、この倍はある大きいものじゃ。貼りだされる紙も多い」

そして勘吉には聞こえないように、小さな声で――。

「その子は迷子なのかな。迷子だと思っていた子の半分は捨て子なんじゃよ。そのことも頭に入れておかなければいけません」

「でも、こいつが迷子になったたって言ってるもんで……」

「子供はね、捨てられたと思いたくないんじゃ。だから迷子になったと思い込むんです」

万造は背中に冷たいものを感じた。

二人は湯島天神へと向かう。上野の近くまで来ると懐かしい町並が広がる。次の角を右に曲がると、万造が育った下谷山崎町の長屋がある。万造は今でも、年に何度かは手土産《てみやげ》を持って山崎町の長屋を訪ねていた。源吉の家には知らない一家が住んでいるが、まだ何人かは知った顔がいる。自分を育ててくれた人たちだ。飯を食わせ、洗濯をし、寺子屋に通わせ、説教をし、そして何の見返りも求めなかった愛すべき人たちだ。

「あら、万ちゃんじゃないか。おときさん、およしさん、万ちゃんが来たよ」

「元気そうじゃないか」

「所帯でも持つことになって知らせに来たのかい」

「冗談言っちゃいけねえ。吉原《よしわら》の女がおれを放しちゃくれねえのよ。所帯なんて粋《いき》な男の持つもんじゃねえ。そうだ。浅草で草団子、買ってきたぜ。みんなで食ってくんな。研《と》ぎ屋の婆《ばばあ》が喉に詰まらせておっちんでも、おれのせいじゃねえぞ」

「相変わらず憎まれ口だけは天下一品だね」

そんな会話が万造の脳裏によみがえる。

下谷広小路《ひろこうじ》を抜けて、上野新黒門町《うえののしんくろもんちょう》を右に曲がれば、湯島天神はすぐそこだ。

前から歩いてきた中年の女が立ち止まる。

「か、勘ちゃんじゃないか」

女は、いかにも気のいいおかみさんといった風情《ふぜい》だ。

「このガキ、いや、この子を知ってるんで」

「ええ。堀留町《ほりどめちよう》の小間物《こまもの》問屋、北総屋《ほくそうや》さんの子で勘吉といいますけど。おたくは勘ちゃんと、どんな関係で……」

「こりゃ天の救いだ。浅草寺に賽銭《さいせん》を投げたのが効《き》きやがったぜ」

万造は、昨日、亀戸町で勘吉と出会ってからのことを、順を追って話した。

「迷子っていうのは、勘ちゃんが言ったんですか」

女は大きな溜息《ためいき》をついた。そして少し乱暴に勘吉の頭を撫《な》でる。

「そうですか……。とにかくいい人に出会えてよかった。堀留町一丁目に道浄橋《どうじようばし》って橋があってね、そのすぐ前に北総屋さんがあります。私はその裏手にある金平《きんぴら》長屋に住む、根付《ねつけ》職人、仁助《にすけ》の女房で、お園《その》といいます。これからちょいと用事があって、一刻《いっとき》もすれば金平長屋に戻りますから、何かあったら寄ってくださいな」

お園の様子に少し違和感を覚えた万造だったが、勘吉の家がわかったのは幸いだ。だが、とても繊細《せんさい》とは言えない万造は、勘吉の些細《ささい》な変化に気づくことはできなかった。

小間物問屋、北総屋は道浄橋北詰《きたづめ》の角に建っていた。こぢんまりとした店で、暖簾《のれん》をくぐると両脇が棚になっており、正面が帳場になっている。

「ちょいと御免なさいよ」

帳場に座っていた男は、勘吉を見ると立ち上がった。

「か、勘吉。あ、あの、あなた様は……」

万造は昨日からの出来事を話した。二度目なので、喋りも流暢《りゅうちょう》だ。

店の奥から、よく肥《こ》えた、へんに色っぽい女が無表情で出てくる。万造には挨拶《あいさつ》もせず、いきなり勘吉の頬《ほお》を平手《ひらて》打《う》ちした。

「お、おい、いきなり何をしやがる」

「あなた様には関係のないことですから。私はこの子の母親です。人様《ひとさま》にとやかく言われる筋合《すじあい》はございません」

「なんだと、べらぼうめ。迷子になったいきさつは知らねえが、殴る前に、優しい言葉のひとつもかけてやるのが親ってもんじゃねえのかい。勘吉がどれだけ不安だったか親なら察《さっ》しがつくだろ」

その女は、万造に言い返そうともせず、勘吉の襟首《えりくび》をつかむと奥に引きずっていく。万造はその姿を啞然《あぜん》として眺めているしかなかった。

帳場の男は、改まって――。

「私は北総屋の主《あるじ》で勘吉の父親、久三郎《きゅうざぶろう》と申します。今のが母親で、お高《たか》です。とにかく勘吉がいろいろとお世話になりまして……。これは些少《さしょう》ではございますが……」

　久三郎は、小さな紙包みを差し出した。

　な、なんだこれは。

　万造が予想していたのは、こんな展開だった。

　勘吉に抱きつき号泣《ごうきゅう》する両親《ふたおや》。

「勘吉、ど、どこに行ってたんだ。おっかさんはね、一睡もしないでお前を捜し回ってたんだよ」

「勘吉〜。無事でよかった。勘吉〜」

　ここで両親が万造に――。

「どこのどなたか存じませんが、本当にありがとうございます。とりあえず上がってくださいまし。おーい、番頭《ばんとう》さーん」

　奥の座敷に通されると、上等な酒に、鯛《たい》の塩焼き、刺身に豆腐料理なんぞが、並んでいる。ちょいといい気持ちになっていると、番頭が主に何かを手渡す。

「たいへん失礼かとは思いますが、これはほんのお礼でございます」

　主が万造の手に紙包みを握らせる。この感触は、小判が二枚、いや三枚かもしれない。

「いや、こんなものは受け取れません。あっしはただ、江戸っ子として当然のことをしただけですから」

「粋なお方だとは思いましたが、まさに江戸っ子の鑑《かがみ》。ですが、これは受け取っていただきます。でなければ手前どもの気が済みません」

などという押問答《おしもんどう》が続いて――。

「そうですか。そこまで言われるのなら、今度だけは、ご主人の顔を立てることにしましょう」

食べ残したものは折詰《おりづ》めにしてもらい、駕籠《かご》に乗って帰る。

――などと考えていたのに、どういうことだ。

万造は、その小さな紙包みを床《ゆか》に叩《たた》きつけた。

「馬鹿《ばか》にするねえ。こんなもんがほしくて勘吉の面倒をみたんじゃねえや」

万造の目から涙が溢《あふ》れだした。何の涙なのか自分でもわからない。勘吉が不憫《ふびん》だからか。こんな扱いを受けて悔しかったからか。万造は店を飛びだした。

とても帰れる心境ではなかった。あの親子のことを聞けるのは、金平長屋に住む、お園という女だけだ。

金平長屋を訪ねると、お園は快《こころよ》く万造を座敷に上げてくれた。根付職人の仁助も仕事の手を休めた。

「万造さんといいやしたね。どうやら、見たくねえもんを見ちまったようだね」

万造は北総屋での一件を話した。仁助とお園は顔を見合わせた。

「勘ちゃんはね、あの二人の本当の子じゃないんだよ」

「やっぱりな。父親はともかく、あの女が産《う》みの親とは思えねえ。ありゃ鬼だ」

仁助は同調して小さく頷《うなず》いた。

「あの二人が堀留町で小間物問屋を開いて八年になるかな。所帯を持って五年経《た》っても子宝に恵まれなかった。商売人には跡取りが必要だ。それで養子にもらったのが、あの勘吉だ。ありゃ、勘吉が二歳になる前だったな。まだ物心がつく前だったから、本人は覚えちゃいねえだろ。はじめはあの二人も勘吉をかわいがってたんだがなあ……」

お園がそれに続ける。

「ところがね、勘吉が四歳になったころかね。できちまったんだよ、あの二人に子供が。生まれたのは男の子。清吉《せいきち》って名でね。そりゃ実の子の方がかわいいってのはわかるよ。だけど、ああ露骨にやっちゃ、勘吉だって傷つくだろうよ」

万造の目尻《めじり》が、ゆっくりとつり上がってきた。

「そんなにひでえのか」

「ああ。この前のお祭りのときだって、親子三人で出かけて、勘吉はおいてきぼりさ。どうしてるかと裏から覗《のぞ》いてみたら、泣きながら冷飯《ひやめし》を食ってたっけ」

「こんな子はもらわなければよかった、って勘吉の前で言うんだから始末が悪いよ。水菓子《みずがし》や饅頭《まんじゆう》だって清吉にばっかり。湯屋にだってあまり連れてっちゃくれない。これじゃシラミが湧《わ》くって、うちの人が井戸で勘吉を洗ってやったんだ。そしたら、あのお高が『余計なことはするな』って怒鳴り込んできた」

万造は拳《こぶし》で床を叩きつける。

「ふざけやがって。みんな、てめえたちの都合じゃねえか。勘吉にゃ、何の落度《おちど》もねえだろ。許さねえ」

お園は興奮した万造を優しい目で見る。

「万造さんといったね。あんた、いい人だね。昨日、出会ったばかりの勘吉のことを心から心配してるもん。でもね、他人にはどうすることもできないんだよ」

万造は言葉を失った。それに、この場で怒鳴り散らすのも筋違《すじちが》いだ。

「養子ってことは、どこかに勘吉の実の親がいるんじゃねえんですかい。その親に勘吉を返すってことはできねえのかなあ……」

「さあ、そのあたりのことは、私たちにはわからない。二歳にもならない子を養子に出すくらいだから余程の事情があったんだろうしね」

いつの間《ま》にか、仁助は背を向けて仕事をはじめている。仁助は彫刻刀で木材を彫りながら――。

「勘吉は迷子なんかじゃねえ。家出だよ。てめえの親が北総にいるって思い込んでるのかもしれねえ。それで両国橋を渡って亀戸町まで行ったんだよ。健気《けなげ》じゃねえか。泣けてくらあ」

仁助が背を向けて仕事をはじめたのは、涙を見せたくなかったからだ。

万造は痛さで痺《しび》れている拳を握りしめた。


万造が、おけら長屋に戻ったのは、陽が暮れるころだ。居酒屋を二軒ほどハシゴして、足元はふらついているが、酔ってはいない。いや、酔うことができないのだ。瓶《かめ》から柄杓《ひしやく》で水をガブ飲みし、座敷に転《ころ》がった。

頭の中は勘吉のことでいっぱいだ。今ごろきつい折檻《せつかん》を受けているのではないか。飯は食べさせてもらったのだろうか。親切のつもりだったが、勘吉にとっては余計なことをしてしまったのかもしれない。

万造が勘吉と同じ歳《とし》のころ、茶屋の店先から盗んだ饅頭を食べているところを、源吉に見つかった。

「うめえか」

源吉は、ごく普通の口調《くちょう》で尋ねた。万造は両手に持った饅頭を頬張《ほおば》りながら「ああ、うめえよ」と答えた。

「そうか、うめえか……。そんなはずはねえと思うがな。もっとゆっくり味わって食ってみな。働いてもらった御足《おあし》や、貯《た》めた小遣いで買った饅頭なら、うめえと思うがな。本当にその饅頭はうめえか」

万造は強がって「ああ、うめえ」と答える。源吉は「そうか」と俯いて家を出ていった。なぜか涙が流れてきた。甘かった饅頭が塩《しょ》っぱくなったのは涙のせいだろうか。

勘吉と出会ってから、なぜか子供のころを思い出す。

引き戸を開いたのは松吉だ。いつものようなガサツな開け方ではなかった。

「なんでえ、沈没か。お里さんたちがしんぺえしてたぜ。万ちゃんのけえってくる姿を見て、何かあったってよ。勘吉がいねえところをみると、家は見つかったんだろ」

「ああ」

座敷に転がった万造は、天井《てんじょう》を見つめながら、ぶっきらぼうに答えた。

「勘弁してくれよ。十五、六の小娘じゃあるめえし、しんねりむっつりしやがって」

「おめえ、よくそんなことが言えるな。猫がいねえって、ベソかいてやがったのは、どこのどいつでえ」

「ちげえねえや」

松吉は、座敷に上がりこむと、昨夜、自分が置いていった徳利の栓を開けた。

「で、どうした。ミーちゃんは見つからねえのか」

松吉は酒を茶碗に注ぎながら——。

「ああ、もう諦めた。猫なんてもんは、吉原の女郎《じょろう》と同じで、気まぐれなもんだ。昨日、すり寄ってきて喉を鳴らしたと思ったら、今日はプイとどっかに行っちまう」

ここで松吉は一度、言葉を切った。

「詳しいことを聞くつもりはねえ。何があったか知らねえが、忘れちまいなよ。きれいさっぱりと。お節介が売りの万ちゃんでも、できねえことはあらあ。だから忘れちまえ」

「ああ、そうするよ」

「馬鹿に素直じゃねえか。猫と一緒にするねえ、なんぞと食ってかかると思ってたのによ」

万造は起き上がると、茶碗に酒を注いだ。

「だって、松ちゃんの言う通りだからよ。おれには何もできねえ。何もできねえんだよ」

その言葉を聞いて立ち上がる松吉。男はこんなとき、一人になりたいものだ。

「万ちゃん、もう酒はやめておきな。この徳利は持って帰るぜ。もともとは、おれの酒なんだから、ことわることもねえけどよ」

松吉は出ていくと、静かに引き戸を閉めた、少しの間をおいて、また引き戸が開く。そこに立っているのは松吉だ。

「なんでえ、茶碗まで持ってくつもりか。こりゃ、おれんちのもんだ。盗人《ぬすっと》みてえな野郎だぜ」

松吉は明るい声で――。

「そんなフチの欠けた茶碗なんかいらねえよ。それより、万ちゃん、お客さんだぜ。ほら、へえんな」

松吉に背中を押されるようにして、入ってきたのは男の子だ。

「か、勘吉じゃねえか」

裸足《はだし》のまま土間《どま》に飛び下りた万造は、勘吉を乱暴に抱きしめた。

「おめえ、堀留町から一人で歩いてきやがったのか。こんなにくれえのによ」

勘吉は泣きじゃくる。

「お、おいら、き、来ちまった。万ちゃん、万ちゃん。怒らねえでくれよ。万ちゃん」

万造は勘吉の背中を何度も叩く。

「怒るわけねえだろ。万ちゃんだって、おめえに会いたかったんだからよ」

それを見ていた松吉が呟《つぶや》いた。

「おらあ、知らねえよ」


大家の徳兵衛は、茶を啜《すす》りながら話を聞いている。苦々《にがにが》しい表情は茶の渋さのせいではない。

「そりゃ、できない相談だな。だいいち、その勘吉という子の親が許したわけではあるまい」

万造はプイと横を向いた。

「あんなのは親じゃねえ。ありゃ鬼だ。なんであんな野郎どもの許しが必要なんでえ。それによ、あいつらは実の子供ができて、勘吉が邪魔になったんだ。勘吉がおれの子供になるってえのは、渡りに船じゃねえか。なあ、なんとかしてくれよ」

長屋に住む人たちの人別帳《にんべつちょう》は、大家が管理することになっている。人別帳は戸籍簿《こせきぼ》であり、奉行所にも提出される厳格なものだ。人別帳に記載されなければ、正式な長屋の住人とはなれない。

「いい加減によ、ささっと『万造の長男、勘吉』とか書いときゃいいじゃねえか。奉行所だって、こんな汚ねえ長屋の人別帳なんか、まともに見やしねえよ」

徳兵衛は、渋い顔から呆《あき》れ顔へと変わる。

「馬鹿を言うな。そんなことをして、お咎《とが》めを受けるのはだれだ。私じゃないか。その子をお前さんの養子にするにしても、厄介《やっかい》な手続きがたくさんある。お前さんが考えているほど簡単なことじゃないんだぞ」

胡坐《あぐら》をかいた万造の足の指が、小刻みに動いている。イラついている証拠だ。

「しち面倒くせえことを言いやがって。むこうがいらねえってえから、こっちに来る。それだけのことじゃねえか」

徳兵衛は興奮してきた気持ちを必死に抑える。万造と一緒になって爆発してしまったら収拾がつかなくなる。

「いいかい、万造。お前さんの気持ちはわかる。ある意味じゃ、見上げた心意気だとも思う。だがな、今までお前さんが顔を突っ込んできた騒ぎとは違うんだ。子供を一人育てるなんてのは簡単なことじゃない。それじゃ聞くがな。お前さんが仕事に出ているとき、勘吉の面倒はだれがみる。毎晩のように呑んだくれているのに、飯の支度はどうする。吉原や鉄火場《てっかば》通いはやめられるのか。夜中に子供を一人にはできないからな。六つと言えば、そろそろ寺子屋に通うころだ。金はどうする。読み書きを覚えさせるのは親の役目だぞ。お前さんにできるのか。十日くらいはもつかもしれん。だがな、お前さんにそんな生活が続けられるわけがない。大口をたたいて、恥をかくのはお前さんだ。一時の感情で動いちゃいかん。お前さんだって落ち着いて考えてみりゃわかるはずだ」

万造は唇《くちびる》を噛《か》み締める。考えてみれば、何もかも、徳兵衛の言う通りだ。かなりの時間が経過してから、万造は俯いたまま——。

「わかったよ。勘吉を返してくりゃいいんだろ」

「おお、わかってくれたか」

そのとき、引き戸が勢いよく開いて、お里、お咲、お奈津《なつ》、お染がなだれ込んできた。

「見損なったよ、万造さん。いつもの威勢はどうしたのさ」

「やってやろうじゃねえかって、言い返してやんなよ。それが江戸っ子ってもんじゃないのかい」

「あたしたちが何のためにいると思ってんだい。水臭《みずくさ》いじゃないか」

「そうだよ、万造さん。俯いてないでシャキッとおしよ」

その勢いに、呆気《あっけ》にとられる徳兵衛。

「な、なんだい、お前さんたちは。この馬鹿を焚《た》きつけるつもりかい」

お里は、まったく怯《ひる》まない。

「大家さん。すまないけど、今度ばかりは万造さんの味方をさせてもらうよ。あたしたちだって、馬鹿でお節介で有名な、おけら長屋の住人なんだ。そんな不憫な子を鬼のもとに返したとあっちゃ、ご先祖様に申し訳が立たないのさ。万造さん、あんたはいつも通りにしてりゃいい。博打《ばくち》を打とうが、吉原に行こうが好きにしなよ。そんなときは、あたしたちが面倒をみるからさ。さあ、万造さん、どうするんだい」

万造は大粒の涙を流しながら、床に頭を擦《こす》りつけた。そして振り返ると――。

「大家さん、そういうこった。よろしく頼むぜえ」

徳兵衛は、がっくりと肩を落とした。


万造が勘吉と暮らすようになって、五日が過ぎた。四日ほど前、奉行所を訪れた徳兵衛は、勘吉の一件について申し開きをしている。

「堀留町の小間物問屋、北総屋の主、久三郎とお高の子、勘吉が家出をしたので、おけら長屋で預かっております。当長屋で勘吉を預かっていることは、久三郎さんには封書にて伝えてございます。このような場合は、親御さんの方で子供を引き取りに来るのが筋《すじ》と心得ます。手前どもに子供を届ける義理はございません。従いまして、先方の親御さんが来ぬ限り、勘吉は、おけら長屋で預かることにいたします。よろしいですな」

　面倒なことに関わりたくない奉行所は、徳兵衛の言い分を認めた。許可を得なければ「人さらい」にされても文句は言えない。まさに苦肉の策だった。実際に、北総屋からは、勘吉を引き取るどころか連絡さえない。

　勘吉は、子供らしい笑顔を取り戻しつつあった。ある日の勘吉の生活は——。

　飯が炊《た》ける匂《にお》いで目を覚ます。万造は勘吉と暮らすようになってから、小まめに飯を炊くようになった。米さえあればなんとかなるのが長屋での生活。ましてや米屋の奉公人なのだから、米を切らす心配はない。

　井戸で顔を洗い、口を漱《すす》いだ勘吉が家に戻ると、朝飯の支度は、すっかり整っている。もっとも、万造が用意するのは米だけで、細やかなおかずは、おかみさん連中からの差し入れだ。どうやら、おかみさんたちが話し合って輪番《りんばん》を決めているらしい。今朝《けさ》は、それを羨《うらや》ましがった松吉が飯だけ持ってやってきたが、万造に叩き出された。

　万造が仕事に出てしまうと、勘吉には、長屋での手伝いが待っている。水汲《く》みやドブさらい、稲荷や便所の掃除。やることはいくらでもある。一段落すると、隠居の与兵衛《よへえ》が読み書きを教えてくれるのだ。勘吉にとっては一番辛《つら》い時間である。与兵衛は口癖のように言う。

「勉学しないと、万造や松吉のような馬鹿になっちまうぞ」

「おいら学問は嫌いだい。おいら、八五郎さんみてえな職人になりてえんだ。八五郎さんが言ってたよ。腕さえありゃ学問なんていらねえって」

「あいつらは読み書きができないから、そんな屁理屈《へりくつ》を言っておるんじゃ。いいか勘吉、あんな馬鹿どもの真似《まね》をしちゃいかん。さあ、もう一度、この字を書いてみなさい」

昼飯はどこで食べるか決まっていない。今日はお染の家で握り飯を食べた。その後に、両手を広げて寸法を測った。着物をこしらえてくれるらしい。お染さんは優しくて側に寄るといい匂いがする。勘吉は思う。お染さんみたいな人が、おっかさんだったらいいのになあと……。

今日は、勘吉にとってすごく楽しみなことがある。長屋に住む浪人《ろうにん》、島田鉄斎《しまだてっさい》が剣術道場に連れていってくれるという。鉄斎は刀を差した侍《さむらい》なのに威張ったところがない。

道場の隅で正座をして、剣術の稽古を見た。鉄斎はすごく強い。若い門下生《もんかせい》たちが次々に打ち据《す》えられていく。勘吉は鉄斎を憧《あこが》れの眼差《まなざ》しで見つめていた。

　その後には、門下生たちが遊んでくれる。竹刀《しない》を持った勘吉は天下無敵。斬《き》られた門下生たちは大袈裟《おおげさ》に倒れていく。勘吉は本当に自分が強くなった気がして、小さな胸を張った。

　おけら長屋に戻ると、もうすぐ夕暮れだ。そろそろ万造が帰ってくるころだ。少し部屋を掃除する。万造はほとんど掃除をしないから困る。万造が帰ると、二人で湯屋に行く。万造が肩に手拭いを引っかけるので、勘吉も真似をする。少し大人になったような気分だ。

　勘吉は歩きながら、湯船に浸《つ》かりながら、背中を洗ってもらいながら、今日あった出来事を嬉《うれ》しそうに話した。それを聞く万造も楽しそうだ。

「どうりで稲荷の鳥居が光ってると思ったぜ。勘吉が磨《みが》いたのか。てえしたもんだ」

「隠居の野郎、また余計なことを言いやがって。わかるか、勘吉。なまじ学問なんかするると、あんな嫌味な爺《じじい》になっちまうんだ」

「へえー、お染さんが着物を作ってくれるってか。よかったなあ……」

「鉄斎の旦那はつええだろ。なに、勘吉も剣術道場のわけえやつらを四人もやっつけたのか。そいつぁすげえや」

おけら長屋に戻ると、松吉が七輪《しちりん》でメザシを焼いている。こんなときは松吉も一緒に夕飯を食べる。といっても、万造と松吉の二人は「呑む」なのだが。勘吉はメザシがあまり好きではない。苦いからだ。万造は隠しておいた羊羹《ようかん》を取り出す。

「ほら、勘吉。お咲さんからもらった羊羹だ。飯とメザシを全部食わねえと、おめえにはやらねえぞ」

だから勘吉は我慢してメザシを食べる。万造は酔ってくると「子供は早く寝ろ」を連発する。勘吉はもっと起きていたいが、渋々、床に入るのだ。


居酒屋の暖簾を潜《くぐ》ると、すでに島田鉄斎はスルメを肴に一杯やっていた。万造はその正面に腰を下ろす。

「遅くなってすいません」

「勘吉はどうした」

「それが、おれがちょいと出かけると言ったら、八五郎さんとこと、喜四郎《きしろう》さんとこで勘吉の奪い合いでさあ。とりあえず、喜四郎さんとこへ預けてきました。お奈津さんが『万造さん、うちに泊めるから遅くなってもいいよ』なんてほざいてましたけどね」

鉄斎は、そのやりとりを想像して、微笑《ほほえ》んだ。

「ずいぶんと人気者だな、勘吉は……」

「うちの長屋にはガキがいねえから珍しいんでしょ。ところで島田の旦那、改まって何ですか」

鉄斎は、一瞬ためらうような間をおいた。

「勘吉のことですね」

俯きながら鉄斎は徳利を差し出す。万造はそれを猪口《ちょこ》で受けて呑み干した。

「まだ確かな話ではない。だが万造さんに話さぬわけにはいかぬ。だから話す。何日か前、勘吉を剣術道場に連れていったことは、聞いているな」

「ま、まさか、勘吉に竹刀でやられた、わけえ門下生が死んじまったとか……」

鉄斎は酒を吹きだした。

「あはは。筋がよいことだけは間違いないがな。そのとき勘吉がうちの門下生を打ち据えたときのことだ」

万造は鉄斎の言葉を待った。

「竹刀を構えた勘吉の姿に見覚えがあった。だれかに似ているのだ。そのときは深く考えなかったのだが……」

「だれかに似てるって、勘吉は剣術なんて習ったこともねえでしょうに……」

「そこだ。私が信州《しんしゅう》諸川《もろかわ》藩にいたころ、勘定方《かんじょうがた》に澤田彦之進《さわだひこのしん》という人物がいた。

私よりも七歳ほど若かったが、剣術の強い男でな。だが諸川藩は突然に、お取り潰《つぶ》しとなり、私も澤田彦之進も路頭に迷うことになる」

万造はゴクリと息を呑んだ。

「その、剣術が強かった澤田彦之進とかいう侍に似てるってえんですかい。竹刀を構えた勘吉が」

鉄斎は大きく頷く。

「三年ほど前、江戸に出てきた私は、人の噂《うわさ》に澤田彦之進の居場所を聞き、訪ねたことがある。澤田彦之進は、神田松永町《かんだまつながちよう》の紙問屋、相馬屋《そうまや》の用心棒《ようじんぼう》をしていた。用心棒などというと聞こえは悪いが、無頼漢《ぶらいかん》ではない。若い相馬屋の主の、よき相談相手となっているようだ。江戸に出てきてから、町人出の、お律《りつ》という女と所帯を持っている。さて、話はここからだ――」

舐《な》めるように酒を呑んだ鉄斎は、猪口を静かに置いた。

「私が澤田彦之進と会った一年前、つまり今から四年前のことだが、彦之進の二歳になる長男が、神隠しに遭《あ》ったというのだ」

「神隠しってえと、子供が急に、行方《ゆくえ》知れずになるっていう……」

「そうだ。手がかりさえつかめなかったとか、彦之進とお律だけではなく、相馬屋の人たちも総動員して行方を捜したが、手がかりさえつかめなかったとか」

町奉行所は迷子や神隠しの捜索はしてくれなかったので、子供がいなくなると町総出で、太鼓《たいこ》や鉦《かね》を鳴らして子供を捜す。江戸ではよく見かける光景だった。

「その、いなくなった子供が勘吉だってえんですかい」

「それはわからん。だが、勘吉のあの構え、あれは偶然ではないと思う。血を分けた親子だからこそ、あのような竹刀の構えになったのだ。徳兵衛さんから、だいたいの話は聞いたが、勘吉は堀留町にある小間物問屋に養子に出されたそうだな」

「そう聞いてます」

「それは何年前のことだ」

「根付職人の夫婦によると、勘吉が二歳になる前ってことでしたから、四年前ってことになります」

「一致するな」

「でも堀留町っていやあ、神田松永町と目と鼻の先ですぜ。もし堀留町の小間物問屋が人さらいだったとしたら危険すぎませんか」

鉄斎は腕を組んで唸《うな》った。

「だが、その逆もあると思う。近すぎるがために、却《かえ》って気づかないということだ。二歳前と言えば、まだそうは歩けまい。髪の形でも変えてしまえば、簡単に見分けることはできないだろう。さて、万造さん、肝心《かんじん》なことを聞くぞ。確か彦之進は、神隠しに遭った子供の背中の真ん中に、豆粒ほどの黒子《ほくろ》があると言っていた。勘吉の背中はどうだ」

「あります。豆粒ほどの黒子が……」

万造は自分でも驚くほど冷静に答えた。

「さて、どうする万造さん。詳しく調べてみるか」

「もちろんでさあ」

「勘吉と別れることになるかもしれんぞ」

「島田の旦那、ひとつだけ聞いてもいいですか」

「何だ」

「その、澤田彦之進ってえ人は、どんな人で」

「信頼できる人物だ。お内儀《ないぎ》がちょっと目を離した隙に子供がいなくなったらしいが、お内儀を責めることもなく、まず労《ねぎら》ったという。彦之進はそういう男だ。その彦之進が選んだお内儀も優しい母親に違いない」

「それを聞いて安心しました。あっしは、勘吉が幸せになるんなら、それでいいんで。それでいいんです」

万造は笑った。だがこんな笑い方をした万造を見るのは、はじめてだった。

「ずいぶんと素直なんだな」

「あたりめえよ。こちとら江戸っ子でえ。心で泣いて顔で笑うのよ」

万造は自分の胸を力強く叩いた。


鉄斎は、小間物問屋、北総屋夫婦に揺《ゆ》さ振《ぶ》りをかけることにした。まず正式な養子という事実を崩さなければならない。

北総屋を訪れた鉄斎に怪訝《けげん》な顔をする久三郎とお高。小間物問屋に浪人とは何とも不釣合いだ。

「本所亀沢町にあるおけら長屋で、こちらの勘吉という子供を預かっていると聞いたが」

久三郎とお高は、顔を見合わせる。

「失礼ですが、あなた様は……」

「浪人、島田鉄斎と申す」

「その島田様が、何のご用で。ははあ、そうですか。勘吉のことでしたら近々、迎えに行くつもりでおりました。なにぶん店が忙しく、手が離せずに……。これは些少ではございますが、おけら長屋のみなさんにお渡しいただけますか」

馬鹿にしたような薄笑いを浮かべて、小さな紙包みを差し出す。明らかに、浪人と長屋の住人を軽くみている態度だ。

「残念ながら、私はおけら長屋の回し者ではない。神隠しにあった子供の行方を調べている者だ」

二人の顔つきが変わった。鉄斎は手応《てごた》えを感じた。

「勘吉を四年ほど前に養子にしたとのことだが、養子の紹介をしたのは、だれだったのか教えていただきたい」

久三郎の態度が一変する。

「そ、それは言えません。先方との約束ですから。実の親がわかってしまったら、勘吉が動揺します」

「なるほど、一理あるな。だが、私が調べているのは、養子縁組ではない。人さらいだ。私は勘吉の養子縁組には、人さらいが絡《から》んでいるとみている」

弱気な久三郎の態度に、業《ごう》を煮やしたのか女房のお高が、しゃしゃり出てきた。

「お武家さん、因縁《いんねん》をつけるなら証拠を持ってきな。どうせ金が目当てなんだろ。その包みをありがたくもらって、とっとと帰んなよ。この食い詰め浪人が」

女が本性を現した。

「証拠などはいらん。奉行所に訴え出れば済むことだ。養子縁組となれば、人別帳に勘吉の実の親も記載されているはずだ。当然、奉行所に提出されている。調べれば簡単にわかることだ。勘吉の実の親として、記載されている者が実在していればよいのだがな。人さらいは大罪ですぞ。たとえ首謀者でなくとも島送りは免《まぬが》れまい。首を洗って待っているがよい。邪魔をしたな」

鉄斎が背を向けると――。

「お待ちくださいまし」

久三郎が小走りで鉄斎の前に回る。

「ここに三両ございます。これで何もなかったことにしていただきたいのです」

鉄斎は哀れむような目で久三郎を見た。

「あなたは、金ですべてが解決すると思っているようですな。悲しい人だ。大切なのは金ではない。心です」

久三郎は観念した。鉄斎の言葉が胸に響いたからだ。

「すべてお話しいたします」

「お前さん、こんな浪人の口車に乗るんじゃないよ」

お高は声を張り上げた。

「黙れ。もう、お前の指図《さしず》は受けん」

鉄斎は腰から刀を抜いて、上がり框《かまち》に腰を下ろした。

「ある日、見知らぬ男が訪ねてきました……」

その男は、峯治《みねじ》と名乗った。

「あなた方が子宝に恵まれず、悩んでいるとお聞きしました。私はそのような方々に養子を紹介させていただいている者です」

久三郎とお高は、子ができないことがもとで言い争うことが多くなっていた。子は鎹《かすがい》という。たとえ養子でも、子供ができれば、夫婦仲が修復できると思ったとしても不思議ではない。

「養子といいますと、どのような先から……」

「私どもは、養子を出す方にも、もらう方にも、相手を明かさないことにしております」

「それでは、正式な養子縁組にならないのでは。奉行所や人別帳は……」

峯治は温和な表情で二人を安心させる。

「養子縁組に関する書類は、すべてこちらで用意いたしますので心配いりません。久三郎さん、お高さん。養子縁組で大切なのは、規則や書類じゃありませんよ。人にはそれぞれ都合や事情というものがあります。あなた方のように子供ができずに悩んでいる人。訳《わけ》あって子供を育てられなくなった人。私どもは、そのような方々の橋渡しをしているのです。言ってみれば人助けです。また、お互いに相手を知っていると、将来、揉《も》め事の種になりかねません。子供のためにもなりません」

峯治の話には説得力があった。久三郎とお高の気持ちは、大きく動いていく。

「今、お二人にご紹介させていただきたい子は、もうすぐ二歳になる男の子でございます。こちらは商《あきな》いをされておりますから、跡取りとして、男の子がよろしいでしょう。二歳前ですから、まだ物心はついていません。大きくなって実の親御さんを覚えていることもないでしょう」

「それで条件は……」

二人は峯治の巧みな話術に、すっかり乗せられた。

「その子が生まれてすぐに父親が流行《はや》り病《やまい》で亡くなり、母親が女手ひとつで育てていたのですが、借金もあり……。まあ、そのあたりのことはお察しください。養子縁組料として十両用意していただきたい。その母親に八両、私どもは仲介料として二両をいただきます。心配はいりません。何かあったら、私どもの所為《せい》にすればよろしい。あなた方は騙《だま》されたってことになるだけです。すぐに返事をする必要はありません。二日だけ待ちましょう。ただし、二日過ぎてしまうと、他の方にお話をさせていただきます。こちらにとっては滅多《めった》にない条件だと思いますがね」

久三郎は二の足を踏んだが、お高に押し切られて、この話を受けることにした。

「よく話してくれたな」

鉄斎は胸を撫で下した。頑《かたく》なに拒否されれば厄介なことになる。

「さきほど、お武家様が申された、人さらいとは……」

「うむ。勘吉が四年ほど前に神田松永町で神隠しに遭った子に似ているのだ。背中の黒子も一致した。まだ詳しいいきさつはわからんが、人さらいの可能性が高い」

久三郎は青くなった。

「私どもは、どうすればよいのでしょうか」

鉄斎は、しばらく目を瞑《つぶ》っていたが――。

「あなた方が白《しら》を切るなら、奉行所に訴えるつもりだった。だが、あなた方に機会を与えよう。事が公《おおやけ》になる前に、自《みずか》ら奉行所に申し出るのだ。あなたの話が真実だとすれば、ご赦免の機会もあろう。それが最善の方法だ。いや、それが、あなた方のとるべき道だ」


万造は酒をチビチビと呑みながら、勘吉を眺めている。勘吉は、お染にこさえてもらった御手玉《おてだま》に夢中だ。

「へっ、そんなもんは女の子の遊びだろ」

「だったら独楽《こま》を買ってくれよ」

「口の減らねえ野郎だ」

万造の目頭《めがしら》が熱くなってきた。

「なあ、勘吉。おめえに本当の、おとっつぁんと、おっかさんがいることは知ってんだろ」

「ああ、おいらはもらった子だって言ってたからな」

「会いたくねえか。本当の、おとっつぁんと、おっかさんに」

「会いたかねえや。だって、おいらを捨てたって聞いたぜ」

勘吉は、御手玉を放りながら、ぶっきらぼうに答えた。

「勘吉、ちょいとここへ来て座んな」

勘吉は、いつもと違う万造の様子に気づいて、御手玉を置いた。

「勘吉、これから万ちゃんの言うことを、よく聞くんだ。いいな。勘吉、おめえはな、二歳になる前に、悪いやつらにさらわれたんだ」

「さらわれたって……」

「うーん、簡単にいやあ、盗まれたってこった」

「おいらを盗んだのか」

「そうだ。おめえの、おとっつぁんと、おっかさんは、気ちげえのようになって、おめえを捜した。だが、おめえは見つからなかった。だからよ、毎日毎日、泣いて暮らしたそうだ。その気持ちは、今でも変わっていねえ」

「なんで、そんなことがわかるんだよ」

「島田の旦那が捜してくれたんだよ。おめえの本当の、おとっつぁんと、おっかさんをな。だから、おめえは、そこに帰るんだ」

勘吉は立ち上がった。

「やだい。おいらは、万ちゃんと、おけら長屋で暮らすんだ」

万造は決して怒鳴ったりはすまいと心に誓っていた。なんとしても勘吉を納得させなければならない。

「勘吉の本当のおとっつぁんは、島田の旦那の知り合いだったんだ。侍だぞ。だから、おとっつぁんじゃねえ、父上だぞ。すげえなあ、勘吉が侍の子だったなんてよ。島田の旦那は、あることで、おめえがそのお侍の子供じゃねえかって気づいたんだ」

勘吉は黙って話を聞いている。

「おめえ、島田の旦那に剣術道場に連れてってもらっただろう。そのときによ、竹刀を構えたおめえの姿が父上にそっくりだったからだ。なぜそっくりだったか、わかるか。おめえが、その人の子供だからだ。島田の旦那が言ってたぜ。勘吉の父上は、剣術も強くて立派な人だって。母上は優しい人だってよ。剣術だって教えてもらえる。おめえは筋がいいって話だから、きっと強くなれる」

勘吉の頬にひと筋の涙が流れる。

「泣くんじゃねえよ。なあ、勘吉。万ちゃんとは友だちになろうぜ。おめえ、あんなに暗くなった道を一人で歩いてこれたじゃねえか。いつだって遊びにこれらあ。万ちゃんだけじゃねえ。この長屋に住んでる人は、島田の旦那だって、八五郎さんだって、お染さんだって、みんな勘吉の友だちだ。わかるな、勘吉。わかるよな……」

涙で言葉が出てこない。

「万ちゃんだって泣いてるじゃねえか」

「今日は酒の肴がねえからよ。こいつを舐めると、塩《しょ》っぱくてうめえや」

万造は涙を拭《ぬぐ》った手の甲をペロリと舐めた。


峯治は人さらいの一味だったことが判明し、一党はお縄となった。小間物問屋の夫婦は、お裁《さば》きが下るまで一度家に帰されたので、大した罪にはならないだろう。勘吉は、いなくなったときの状況が供述と一致し、また身体《からだ》の特徴などから、澤田彦之進・お律の子供であると認定された。奉行所で四年ぶりに我が子と対面したお律は、勘吉を抱きしめて号泣する。最初は戸惑っていた勘吉だったが、母の温《ぬく》もりを肌で感じとったようで、間もなく心を開いた。彦之進は、鉄斎に肩を叩かれながら、その光景を見守っていた。

別れの朝がきた。

勘吉を見送ろうと、おけら長屋の住人たちが井戸の前に集まっている。もうひと晩だけ、おけら長屋で過ごしたいという勘吉の願いを、彦之進が聞き入れてくれたのだ。八五郎は勘吉の頭を乱暴に小突《こづ》く。

「おう、勘吉。左官の職人になりてえなら、いつでも来いや。おれの弟子《でし》にしてやらあ」

「馬鹿だね、この人は。勘吉……、じゃなかった、進太郎《しんたろう》はね、侍の子供なんだから」

「澤田進太郎かあ……。名前だけは大層立派じゃねえか」

照れる進太郎に、みんなが笑った。

「ところで松吉、万造はどうした」

「さあ、今朝は早くから仕事があるとかで」

「そうか……、逃げやがったか。まあ今度ばかりは、万造の気持ちもわかるってもんだ。なあ、お里」

「なに言ってんだい。さっきまで、あんただって、ベソかいてたくせに」

徳兵衛が、みんなの前に割って入る。

「それじゃ、島田さん、頼みましたよ」

おけら長屋の住人たちは、それぞれの気持ちを叫びながら、手を振り続けた。

万造は両国橋の東詰《ひがしづめ》に立つ柳の陰から、橋を渡る鉄斎と勘吉を見送る。

《久しぶりに源吉《おやじ》の墓参りでもするか》

ふと、そんなことを思いついて下を向くと、足元に汚い猫が擦《す》り寄っている。

「おめえ、ミーちゃんじゃねえか。どこへ行ってやがった。松吉が寂しがってたぜ」

抱き上げた猫を懐《ふところ》にしまいながら、両国橋に視線を戻すと、もう勘吉の姿は見えなくなっていた。

本所おけら長屋（二）　その四

こくいん

津軽《つがる》にある黒石《くろいし》藩の藩主、津軽甲斐守高宗《かいのかみたかむね》は、弾《はず》むような足取りで本所一ツ目《ほんじよひとつめ》通りを歩んでいる。その少し後ろをついて歩く田村真之介《たむらしんのすけ》は、高宗とは対照的に冴《さ》えない表情だ。

「それにしても、江戸上屋敷《かみやしき》と、鉄斎《てつさい》の住むおけら長屋《ながや》が、こんなに近かったとは驚きだ。真之介、お前は、おけら長屋を訪ねたことがあるのか」

真之介は歩きながら姿勢を正す。

「ありません。殿《との》からの特命により、確かめただけで」

「だから、殿ではない。黒田三十郎《さんじゆうろう》だと言っただろ」

本所おけら長屋に住む浪人《ろうにん》、島田《しまだ》鉄斎は三年ほど前まで、津軽黒石藩にて剣術指《し》南役《なんやく》として高宗に仕《つか》えていた。高宗は鉄斎のことを何かと目をかけ、鉄斎も、藩民を第一に思い、裏表のない実直な人柄の高宗を心から信頼していた。だが、ある事件（詳しくは『本所おけら長屋』その弐「かんおけ」を参照）に巻きこまれ、人を斬った鉄斎は、心の整理がつかず剣術指南役を辞する決意をし、高宗は断腸《だんちよう》の思いでそれを認めた。

そして鉄斎は江戸へと旅立つ――。

「殿の、いえ、さ、三十郎さま、いえ、三十郎殿の、そのようなお顔を拝見するのははじめてです。島田鉄斎と申されるお方とお会いするのが、よほど楽しみだとお見受けいたします」

　高宗には照れも恥じらいもない。

「おお、その通りよ。鉄斎が津軽を発《た》って三年になる。折《おり》に触れて、あの男を思い出しておった。それが直《じき》に会えるのだ。自然と顔もほころんでくるというものだ」

「島田殿は浪々《ろうろう》の身と伺《うかが》っております。殿が、いや、三十郎殿がそこまで思うお方なら、当藩にて召《め》し抱《かか》えてはいかがでございますか。武芸もかなりの腕と、お聞きしておりますが……」

「本人が望んでおらぬ。鉄斎とはそういう男よ。まだ十五歳の真之介にはわからんと思うがな」

　高宗に鼻で笑われた真之介は、頰《ほお》を膨《ふく》らませた。そのあどけない表情は、まだ少年である。

　二日ほど前、江戸に出府《しゆつぷ》した高宗は、上屋敷の自室に、田村真之介を呼んだ。田村真之介は江戸藩邸生まれの小姓《こしよう》で、元服《げんぷく》したばかりの十五歳。小柄で、心配性で、胃弱で、いつも泣きそうな顔をしている。そのくせ主君のためなら死んでもよいと覚悟するほど、高宗に心酔《しんすい》している。厄介《やつかい》と言えば厄介なのだが、高宗はそんな真之介をかわいがった。

「明後日《あさって》は、工藤惣二郎《くどうそうじろう》が屋敷を留守《るす》にすると聞いた。間違いないか」

　真之介は座敷《ざしき》の隅《すみ》で小さくなっている。

「はっ。詳しいことは存じませんが、会合があるとお聞きいたしました。その日は戻らぬかもしれぬと申されていたような気がいたしますが」

　高宗は着物の帯を乱暴に解《と》きながら――。

「真之介、おれと二人きりのときは、その馬鹿《ばか》丁寧な話し方をやめろ。息が詰まる」

　帯を解いている高宗に気づいた真之介は、畳《たたみ》に膝《ひざ》をつけたまま、すごい速さでにじり寄る。

「申し訳ございませぬ。帯は私めが。なんという失態。お許しくださいませ」

　高宗は帯を取ろうとした真之介の手を乱暴に払い除《の》けた。

「だから、その話し方をやめろと言っておるのだ。帯くらい自分で解ける。側に寄るな。うっとうしいわ」

　また座敷の隅に戻り、小さくなる真之介。高宗は笑いを堪《こら》えた。

「工藤がおらぬとは好都合だ。おれの行動に目を光らせて何かといちゃもんをつけてくるあのうるさ型《がた》がおらぬとは滅多《めった》にない機会。真之介、前回出府した折に、鉄斎の住処《すみか》を捜しておけと頼んだが、見つかったのか」

「はい。本所亀沢町《かめざわちょう》にある、おけら長屋でございます。菊川町にあるこの屋敷からは、もうすぐそこ、目と鼻の先にございます。行って帰るのに、四半刻《しはんとき》（三十分）もかかりません」

高宗は帯を無造作に放り投げ、着物の前をはだけたまま、分厚い座布団《ざぶとん》に座った。

「鉄斎め、そんな近くに住んでおったのか。驚かせてやるから待っていろよ。真之介、着物を用意してくれ。貧乏旗本の三男坊ってとこだな。それに見合う着物だ」

真之介は青くなる。

「ちょっとお待ちください。まさか、殿はその長屋に出向くおつもりでは……」

「その、まさかよ」

「お戯《たわむ》れを……。そのようなところにお付きの者と大勢で出向かれては、大事《おおごと》になってしまいます」

「だれが大勢で行くと言った」

「えっ……」

「お前と二人で行くのよ」

「そ、そのようなことが工藤様に知れましたら、叱責《しっせき》では済みませぬ。事あれば、私は腹を切らねばなりません」

「お前は常々、おれのためなら死んでもよいと申していたではないか。あの言葉は嘘《うそ》だったのか」

「決してそのようなことは……」

真之介は右手で胃をおさえる。

「どうした。また差し込みか。情けないやつじゃのう。お前が腹を切るときは、おれがしかと見届けてやるわ。安心せい」

「しかし、工藤様が……」

「お前は、おれの家臣か、それとも工藤の家臣なのか。どっちだ」

「た、田村真之介は殿の家臣でございます」

高宗は首を捻《ひね》る。

「殿か……。殿はまずいのう。貧乏旗本の三男坊だからな。そうだ。おれの名前は、黒田三十郎にしよう。よいか、真之介。これからおれのことは、三十郎殿と呼べ。お前は親戚ということにしておこう」

田村真之介は痛む胃を摩《さす》り続けた。

津軽甲斐守高宗は、上総久留田《かずさくるた》藩藩主、黒田直行《なおゆき》の四男で、幼名は三十郎という。二十歳《はたち》のときに黒石藩藩主、典高《のりたか》の養子となり、典高の死去に伴い家督《かとく》を継いだ。高宗は、小藩の四男坊だったこともあって、江戸の生まれで、何年かは江戸で育っている。実情はかなり怪《あや》しいが、自分では、江戸っ子と自負している節《ふし》があり、江戸生まれの貧乏旗本のせがれを演じきれると思っているのだ。

田村真之介は長屋の入口で立ち止まり、井戸の向こう側を覗《のぞ》きこむ。

「三十郎殿、ここがおけら長屋でございます。島田鉄斎殿は、右奥に住んでいるそうです」

右手には、小さな鳥居《とりい》と稲荷《いなり》があり、その横の物干しには、白い褌《ふんどし》と、赤い腰巻《こしまき》が風に揺れている。こんな狭いところで人が暮らせるのだろうか。高宗の正直な感想だった。

「真之介、長屋というものは、勝手に入っていってよいのか」

「……と思いますが」

恐る恐る井戸の前を通り抜ける二人。右手の引き戸が開き、たらいを持った女が出てきた。反射的に身構える高宗と真之介。

「あ、あの、どちらさんで……」

気の小さい真之介は、言葉が出てこない。

「せ、拙者《せっしゃ》は、く、黒田三十郎と申す。島田鉄斎殿の住まいは、こちらかな」

まじまじと高宗の顔を見た女の頰が赤く染まった。高宗は様子のよい色男なのだ。

「あらまあ、鉄斎の旦那《だんな》のお知り合いですか。あたしは、この長屋に住む、お里《さと》と申します。そうですか～、三十郎様とおっしゃるんですか」

お里は背骨がなくなってしまったように、腰をくねらせている。見ようによっては気持ち悪い。

「島田殿は、ご在宅ですかな」

「それがね～、島田の旦那は、ちょいと出かけてましてね～」

お里はタコ踊りを続けながら、たらいで顔を隠したり、また出したりしている。

「そ、それでは、また出直してまいる」

お里は高宗の袖《そで》を素早く指先でつかまえた。

「あら～、お待ちになればいいじゃありませんか。お茶でも淹《い》れますから。鉄斎の旦那の家でお待ちくださいよ～」

異変に気づいたのか、お咲《さき》と、お奈津《なつ》も出てきた。二人も高宗の顔に見とれ、うっとりしている。お里は、お咲と、お奈津を押し退《の》けるようにして、高宗を鉄斎宅へと案内する。真之介は、その後に続く。

「ここが、鉄斎の旦那の家ですから。どうぞお上がりください。すぐにお茶をお持ちしますから」

　静かに引き戸が閉まったが、それからの声が筒抜けだ。

「いいかい、私が先に唾《つば》をつけたんだからね。あんたたちは手出しをしないでおくれよ」

「ちょいと、お里さん、あんないい男を独《ひと》り占《じ》めしようって魂胆《こんたん》かい。ずるいじゃないのさ」

「そうだよ。みんなで分け合うってえのが、おけら長屋の決まりですからね」

　お里は、二人の文句など、まるで無視して自分の家に駆けこむ。まず湯を沸《わ》かして、手鏡を取りだす。爪先で目ヤニを取り、薄い眉《まゆ》に唾を塗《ぬ》り、髪のほつれを直す。

　お盆の上に載せた急須に、お茶っ葉とお湯を入れ、茶碗を用意する。さあ、出発だ。鉄斎宅の前で笑顔を作り直して、引き戸を開けると――。

「そうですか〜。三十郎様とおっしゃるんですか。私はお咲で、こっちが……」

「お奈津です。あら、お里さん、すいませんねえ。お茶まで用意してもらって」

　先を越されたお里は、愕然《がくぜん》とする。

「何だい、あんたたちは。まったく油断も隙《すき》もありゃしない。三十郎さんはね、私に用があるんだからね」

「あら、三十郎さんが訪ねてきたのは島田の旦那でしょ。お里さんは関係ないじゃない」

「そうよ。だれが三十郎さんと喋《しゃべ》ろうと勝手じゃないですか。ねえ、三十郎さん」

お里は座敷に上がると、高宗とお咲の間に、力ずくで割り込んだ。

「三十郎さん、お茶をどうぞ。すいませんねえ、この長屋は気が利《き》かない女が多くて。お茶ひとつ出せないんですから」

「ちょっと、お里さん、それって私たちのことかい」

「あんたたち以外に、だれがいるっていうのよ」

「なんですって」

今にも、取っ組み合いがはじまりそうな状況に、あたふたする高宗。すでに真之介は部屋の隅に避難している。

「まあまあ……。とにかくお茶をいただくとしよう。ちょうど喉《のど》が渇いていたところだ」

お里が淹れた茶を見て、高宗は驚いた。

「これは珍しい。茶色いではないか」

高宗は緑茶しか飲んだことがない。番茶など知らないのだ。

「面白《おもしろ》いことを言うお武家さんだねえ。お茶ってくらいだから茶色いんですよ」

高宗は、恐る恐る茶を啜《すす》った。

「うーん、これはなかなか美味《びみ》であるな」

お咲は、お奈津に耳打ちする。

「ビミってなんだい」

「さあ……。顔つきからすると、喜んでいるみたいですけど」

高宗は、茶碗に鼻を近づけ匂《にお》いを嗅《か》いでいる。お里が、もう一杯、茶を勧めながら――。

「ところで、お武家様は、島田の旦那とどのような関係なんですか」

想定外の展開に、高宗は慌《あわ》てる。

「せ、拙者は、島田鉄斎殿とは、その、まあ、簡単に言うと……」

横から、田村真之介が助け舟を出す。

「島田鉄斎殿とは、剣術の同門なのです。黒田殿は島田殿の、弟子《でし》です」

これには三人とも納得した様子で、高宗は胸を撫《な》で下ろした。主君の窮地を救った真之介は、自慢げな表情をした。

「三十郎さん。ところで、こちらの方は」

今度は、真之介が言葉に詰まる。

「この者は、拙者の親類でな。田村真之介と申す。今日は、故《ゆえ》あって供《とも》をさせている」

真之介は安堵《あんど》する。これでおあいこだ。ここで高宗は気づいた。質問をされるから答えに詰まる。こちらから先に質問すれば、その心配はない。

「この長屋に住む武家は島田殿一人でござるか」

「ええ。あとは職人や商人ばかりで……」

「島田殿は、どのように暮らしておられるかな」

三人の女は、我先にと喋りだす。

「お武家様なのに、威張ったところがまるでないし、優しくしてくれます」

「この長屋の住人たちは、鉄斎の旦那にどれだけ助けてもらったことか。感謝してますよ」

「みんな、島田の旦那のことが大好きなんですよ。家族同然の人です」

三人の目を見れば、世辞《せじ》でないことは明らかだ。高宗は嬉しかった。

「拙者も、島田殿には何度も助けられた。なのに恩を着せるようなまねはしない。なかなかできるものではないな」

女たちは、大きく頷《うなず》いた。

「てえへんだ、てえへんだ、てえへんだ」

その声がだんだん近づいてくる。

鉄斎宅の引き戸を勢いよく開いたのは、おけら長屋の住人、酒屋の松吉《まつきち》だ。

「てえへんだ。鉄斎の旦那はいねえのか」

三人の女は、ときめきの時間をぶち壊す、招かれざる男の出現に落胆《らくたん》する。

「何だい、松吉さんかい。騒々しいね。いつものことだけど」

全力で走ったとみえて、松吉の息は弾んでいる。

「な、なんで、鉄斎の旦那の家で、お里さんたちが……。そんなことはどうでもいいや。鉄斎の旦那はどうしたんでえ」

松吉は、瓶《かめ》の水を浴びるように飲んだ。

「鉄斎の旦那は出かけたよ。今日は帰らないかもしれないってさ」

松吉は自分の額《ひたい》を思い切り叩《たた》いた。

「なんてこった。まずい。まずすぎらあ」

「何があったんだよ。騒いでるだけじゃ、何にもわかりゃしないよ」

松吉は、息を整える。

「回向院《えこういん》の前に、煮売りの屋台が出てるだろ」

「おけい婆《ばあ》さんと、孫娘のおたまちゃんがやってる店だろ」

「ああ、この前、酒に酔ったごろつきが、おたまちゃんに悪さをしようとしやがって、通りがかった鉄斎の旦那に追っ払われたんで。それを根に持った野郎が、仲間のごろつきどもと来やがって、因縁《いんねん》をつけてやがる。早く助けねえと、おけい婆さんと、おたまちゃんが危ねえ」

「松吉さんが、助けりゃいいじゃないのさ」

「冗談言うねえ。相手は合口《あいくち》を持ってる、ごろつき連中だ。おれなんかが、どうのこうのできる相手じゃねえ。と、ところで、こちらさんは……」

悪い予感が胸によぎった高宗は伏し目《ふめ》がちになる。

「こちらは、鉄斎の旦那の知り合いで、黒田三十郎さん。なんでも、鉄斎の旦那とは、剣術の同門とかで。ねえ、三十郎さん」

「いや、まあ、その……」

松吉は、手をひとつポンと打った。

「地獄で仏とはこのことでえ。鉄斎の旦那と同門なら腕も確かだ。おねげえです。助けてやってください。この通りです」

松吉は土間《どま》に両手をついた。

顔を見合わせる高宗と真之介。高宗は腕にまるで自信がない。真之介に至っては刀よりも筆を持つ方が好きという軟弱者だ。

「松吉さん、安心しなよ。三十郎さんはやってくれるさ。それに恩着せがましいことも言わない。そういう人さ」

三人の女は、うっとりした眼差《まなざ》しで高宗を見つめた。

「ありがてえ。もう一刻《いっこく》の猶予《ゆうよ》もねえ。それじゃおねげえします」

「よし、私たちも行くよ」

女たちは立ち上がる。もう逃れる手立てはない。高宗は観念した。


回向院の前には、人だかりができている。

「ババア、てめえが巾着《きんちゃく》を盗んだことは、わかってるんでえ」

「お前たちも、しつこいね。知らないもんは、知らないんだよ」

おけい婆さんは気が強くて口が悪い。ごろつき五人に囲まれても怯《ひる》まない。

「鉄斎の旦那に腕を捻られたのを根に持ちやがって。お前が、おたまに悪さをしたのがもとじゃないか。おととい来やがれ」

「なんだと、このババア。屋台をぶち壊して、二度と商売ができねえようにしてやろうか」

「へん、今、同じ長屋に住んでる松吉って馬鹿が、鉄斎の旦那を呼びに行ってる。お前たちなんざ、あっという間《ま》にやられちまうよ」

「上等じゃねえか。早くその鉄斎とやらを連れてきやがれ」

さすがに五人もいれば、鉄斎には負けないと思っているのだろう。

「おう、おう、おう。ちょいと御免なさいよ」

歌舞伎役者《かぶきやくしゃ》気取りで、人垣《ひとがき》を掻《か》き分け、登場してきたのは、松吉である。

「いよっ、松ちゃん、待ってました」

大向《おおむ》こうから、かかった声に見得《みえ》を切る松吉。

「聞かれて名乗るもおこがましいが、おけら長屋の松吉とは、あっ、おれのこってい」

大向こうの野次馬《やじうま》たちも黙ってはいない。

「おけら屋」

「馬鹿松屋《ばかまつや》」

「与太松屋《よたまつや》」

江戸の庶民たちは乗りがよい。おけい婆さんには通用しないが。

「遅かったじゃないか、松吉。鉄斎の旦那はどうした」

「鉄斎の旦那はいねえ。だが、しんぺえすることはねえ。さっ、どうぞこちらに……」

お里たちに背中を押されるようにして出てきたのは、高宗と真之介だ。松吉はさらに調子づく。

「やい、やい、やい。年老いた婆さんと、年端《としは》もいかねえ娘に、大の男が寄ってたかって恥ずかしくねえのか。この方がおいでになられたからには、もうてめえたちの好きにはさせねえからな。さ、黒田さん、お願いいたします」

前に出た高宗は、ごろつき五人と対峙《たいじ》する。

「ま、まずは、あなた方の言い分を聞こう」

「言い分なんざ、聞く必要ねえんですよ。因縁なんですから。パパッと、やっつけちまってください」

後ろから余計なことを言うのは松吉だ。ごろつきの一人が少し前に出る。

「お武家さんには関係ねえんですがね。知りてえのなら聞かせてあげやしょう。この前、この屋台で、うちのわけえもんが、ちょいとしたいざこざを起こしましてね。まあ、それはどうでもいいんで……。そのとき、この屋台に、三両が入った巾着を忘れちまいまして。すぐに気づいて戻ったが、巾着はねえ。考えられることはひとつ。この婆さんか娘が盗んだってことですよ。だから返せと言ってる。それだけのことです」

こうなったら、腕に自信のある振りをするしかない。高宗は余裕の表情を見せる。

「ほう。なるほどな。だが、あなた方が巾着を忘れたという証拠はどこにある」

前に出た兄貴分と思われる男が、いきなり若いごろつきを殴《なぐ》り倒した。この男が、おたまにちょっかいを出したのだろう。

「てめえが巾着を忘れるから、こんなことになったんでえ。ドジ踏みやがって」

兄貴分は、さらにその男を殴り、蹴《け》る。鼻や口から血を流した男は、おけい婆さんに懇願《こんがん》する。

「なあ、婆さん、巾着をけえしてくれよ。三両はいらねえ。大事な物がへえってたんだ」

「余計なことを言うんじゃねえ」

兄貴分は、またその男を殴った。巾着を忘れたのは、本当のことかもしれない。ただ因縁をつけるだけならば、ここまではやらないだろう。

「暴力はよさないか。ご老女《ろうじょ》に尋ねるが、本当に巾着のことは知らんのだな」

おけい婆さんは無表情のままだ。

「もう一度、ご老女に尋ねるが……」

真之介が、高宗の袖を引っ張り、小声で――。

「ご老女という意味が通じておりませぬ」

「では何と申せばよいのだ」

「みなが申しているのと同じにすればよいかと……」

「うむ」

高宗は、おけい婆さんの方を向いた。

「もう一度、そこのババアに尋ねる」

おけい婆さんは、きょとんとする。

「いやまあ、陰でババア呼ばわりされてんのは知ってたけどよ、はじめて会った人に面と向かって言われるとは驚いた。おい、松吉。だれだい、この人は」

「鉄斎の旦那の知り合いとかで。腕の方は確かだから、しんぺえねえ」

高宗は、軽く咳払《せきばら》いをしてから続ける。

「その巾着のことは、本当に知らんのだな」

緊張している高宗は、自分が貧乏旗本の三男坊だという設定を忘れかけてきた。

「ああ、知らねえよ」

ごろつき連中は、おけい婆さんに罵声《ばせい》を浴びせる。

「これこれ、騒ぐでない。何かあるなら、余《よ》に申してみよ」

「『よ』に申してみよだと。まだ昼じゃねえか。こいつ頭がおかしいんじゃねえか」

ごろつき連中は大声で笑った。

「とにかく、お武家さんには関係ねえこった。巾着を出さねえってんなら、この娘は預かっていくぜ。おいっ」

二人のごろつきが、両側から、おたまの腕をつかんだ。

「あっ、何をしやがる。三十郎さん、何とかしてくださいよ。おたまちゃんが連れていかれちまう」

「待て、待てい。この者たちが巾着を盗んだというのなら、奉行所《ぶぎょうしょ》に訴えでればよかろう」

「訴えでたところで、証拠の品は、もう隠しちまってるよ。だが、このババアが盗んだことは間違いないんでえ。娘を返してほしかったら巾着を出せ。それとも、お武家さん、力ずくで娘を取り返してみますか。どうなんでえ」

高宗は、何かよい策はないものかと必死に考えるが、何も浮かばない。ふと、横を見ると、真之介が足を震《ふる》わせている。

「それではこうしよう。身代わりに拙者の供を、人質としてお貸し申そう」

「えっ」

真之介は、自分の顔を指差す。

「だから、その娘を放せ」

真之介は、あたふたするだけだ。

「と、殿……、ではなかった、三十郎殿、わ、わ、私が身代わりとは……」

「お前が、鉄斎の弟弟子などと言ったのがもとだ。責任をとれ」

「そんなあ……」

胃をおさえて前屈《まえかが》みになる真之介。普段から泣きだしそうな顔は、さらに歪《ゆが》んできた。

「真之介、腰から刀を抜け。曲《まが》り形《なり》にも武士が人質となれば、簡単には手を出せまい。安心せい」

　高宗は、ごろつき連中に近づいて、刀に手をかけた。

「早く娘を放せ。さもなくば、斬《き》る。こちらも人質を出すと言っているのだ。さあ、どうする」

　ごろつきは、高宗の気迫に押されて、おたまを放した。おたまは、おけい婆さんにしがみついて泣きじゃくる。もしかしたら自分の胸に飛び込んでくるのではないかと期待していた松吉は、がっくりと肩を落とした。

「巾着のことは、こちらでも調べてみよう。見つかれば必ずお戻ししよう。その代わり、人質に指一本でも触れたら、あなた方を斬る。よいな。真之介、行け」

　丸腰になった真之介は、ごろつき連中に囲まれて遠ざかっていく。何度も振り向く真之介。高宗はそこに立ち止まって、真之介の姿が見えなくなるまで見送った。が、本当は足が震えて動けなかったのである。

　島田鉄斎は向島《むこうじま》の近く、大川《おおかわ》に面した船宿《ふなやど》で、ある人物と密会していた。その人物とは、黒石藩江戸屋敷の御目付《おめつけ》、工藤惣二郎である。工藤は左腕に怪我《けが》をしているようで、袖の裾《すそ》から白い包帯をのぞかせている。

「工藤殿が、このような場所に、私を呼び出すとは、有り触れた用件ではございませんな」

工藤惣二郎は、左手を摩りながら頷いた。工藤惣二郎が江戸詰めとなったのは、一年半ほど前。三年前まで津軽の黒石藩で剣術指南役を務めていた島田鉄斎とは面識がある。鉄斎が本所亀沢町の長屋で一人暮らしをしていることは知っていたが、訪ねることはなかった。鉄斎がそれを望んでいないことを察《さつ》していたからだ。

鉄斎は、工藤惣二郎という人物を信頼していた。頑固《がんこ》で、口うるさいのが玉にきずだが、筋《すじ》の通った男である。その工藤の面持《おもも》ちからは、苦悩が読みとれた。

「藩の一大事という形相ですな」

工藤は猪口《ちよこ》に口をつけたが、酒は減っていない。

「いかにも。さすがは剣の達人。人の心を読む力は衰えておりませんな」

「恐縮です」

船宿の二階にある座敷には、大川からの風が心地よく流れこむ。

「江戸藩邸ではできぬ話ゆえ、このようなところまで足を運んでいただいた。どこに敵の目があるかわかりませせぬ」

工藤惣二郎は、鉄斎の目を正面から見据《みす》えた。

「島田殿を信頼して申し上げる。黒石藩がお取り潰《つぶ》しになるやもしれぬ一大事でござる」

鉄斎も、強い視線を返した。

「狩野軍兵衛《かのぐんべえ》は、存じておられますな」

「ええ。黒石藩、次席家老《じせきがろう》の……」

「その、狩野軍兵衛が、蝦夷地《えぞち》からの特産品を、不正な手段で江戸に流している」

「証拠はあるのですか」

工藤は目を閉じて首を横に振った。

「ない。簡単に尻尾《しっぽ》を出す男ではないからな。だが間違いない。当藩が蝦夷から買い付けた品と、売った品の数が合わん。狩野の報告書によると、蝦夷からの輸送船が、しけで沈んだという。ありえぬわ。狩野の私邸に入る大八車《だいはちぐるま》を見た者もおる。羽振《はぶ》りがよくなったとみえて、城下に三人も女を囲い、遊興三昧《ゆうきょうざんまい》じゃ」

「坂井《さかい》様はご存知なのでしょうか」

黒石藩の家老は、坂井京右衛門《きょうえもん》という。

「知らぬはずだ……」

工藤は、また無意識に左手を摩る。

「津軽で三名、江戸で二名、信のおける者に、内密で調べさせている。蝦夷の特産品は、江戸の廻船問屋《かいせんどんや》を通して、外国に密貿易されているらしい。狩野が私腹《しふく》を肥やしただけならまだしも、それが外国に流れていたことが露見すれば、黒石藩お取り潰しは必定《ひつじょう》だ」

「その腕の怪我は、今回の件と関係がありそうですな」

「我々が手に入れたいのは、狩野の名が入った刻印《こくいん》だ。密貿易の約定書《やくじょうしょ》に使われるらしい。詳しいことはおいおい話すが、その刻印が手に入れば、狩野の密貿易を暴《あば》くことができるのだ。狩野はその刻印を所持してはいない。自分の身は津軽にあるのだからな。それに危険も多い。狩野は用心深い男だ。刻印は江戸の廻船問屋が所持しているとみた」

工藤は、鉄斎に酒を注《つ》いだ。

「岩本町《いわもとちょう》にある三倉屋《みくらや》という廻船問屋だ。主人は、仁三郎《にさぶろう》。先日、この仁三郎が、用心棒風の浪人やごろつきどもに囲まれて、浅草《あさくさ》の料理屋に出向いた。拙者は、仁三郎が密貿易の相手と約束を交わすと睨《にら》んだ。それが正しければ、刻印は仁三郎の懐《ふところ》にある。拙者は帰り道で、頭巾《ずきん》を被《かぶ》り、仁三郎を襲うことにした。場所は神田川《かんだがわ》沿いの柳原《やなぎはら》通り。隙をついて刻印を奪えれば、神田川の船で待つ仲間に投げ渡す。その後なら拙者は用心棒に斬られてもよいと思っていた。若い者に命を落とさせるわけにはいかぬからな。だが、不覚をとり、左手を斬られる始末。なんという失態じゃ。仁三郎は、さらに警戒を強めるに違いない」

ここで工藤惣二郎は、座布団をはずし、膝を正した。

「島田殿に伏《ふ》して、お願い申し上げる。黒石藩のため、殿の御為《おんため》、刻印を手に入れていただきたい。この通りでござる」

工藤惣二郎は、畳に額をつけ、そのまま動かない。

「工藤殿、頭を上げてください」

工藤は、その体勢のままだ。

「困りましたな。そのように頭を下げておられては、話ができませんぞ」

顔を上げた工藤の目に光がさした。

「おお、承知してくれるか。島田殿」

「できる限りのことをいたしましょう」

「かたじけない。工藤惣二郎、この恩は生涯忘れぬ」

鉄斎は、割り箸《ばし》を割って小鉢の料理に手をつけた。

「せっかくの酒と料理です。馳走《ちそう》になりながら話を聞くことにしましょう。狩野一派は、廻船問屋、仁三郎を襲ったのが、工藤殿だと気づいているのでしょうか」

「それはわからぬ。だいぶ暗くなっていたしな。だが、抜け荷を暴こうとしている者がいれば、黒石藩内の者と考えるのが順当でござろう。しかも江戸詰めの者。島田殿もご存知の通り、一万石の小藩ゆえ、藩士も少のうござる。真っ先に、疑われるのが拙者であろう。江戸藩邸にも、狩野一派の藩士が数人いると思われる。我々は動きにくくなってしもうた。それゆえ、外部の方の協力を得るしかない。島田殿は、殿の信頼も厚く、また名うての剣客《けんかく》。これ以上のお方はおりませぬ」

鉄斎は、高宗の顔を思い浮かべた。やんちゃな少年のような顔だ。

「殿は、お達者《たっしゃ》であられますかな」

「ご健勝でござる。だが、少し目を離すと、何をしでかすかわからぬ困った殿様じゃ」

「まるで子供のようですな」

二人は笑った。

「その殿だが、二日前に出府され、今は、菊川町の藩邸におられる」

「殿が江戸に……」

「うむ。島田殿、拙者はこの機会を逃したくないのだ。殿が江戸におられる間に、刻印を手に入れ、狩野の悪行を申し上げるつもりじゃ。津軽には狩野の手の者も多い。狩野の手の届かぬ、この江戸で決着をつけたいのだ」

工藤惣二郎は、狩野軍兵衛の抜け荷を暴いた後、御目付としての責任をとり、腹を切るつもりなのではないか。鉄斎にはそんな予感がした。

「硬い話ばかりでは、酒がまずくなりますな。島田殿とも三年ぶりの再会でござる。今夜は大いに呑んで語ろうではないか。今夜、拙者は藩邸に戻らぬつもりです。そうだ、島田殿も、この船宿にお泊まりになればよろしい。うん。そうすればよい」

工藤惣二郎は、襖《ふすま》を開けると帳場に向かい大声で酒を注文した。

おけら長屋の鉄斎宅は、大勢の人でごった返している。

案《あん》の定《じょう》、高宗は、おけら長屋のおかみさん連中につかまり、鉄斎宅に引きずり込まれた。そこへ、煮売り屋のおけい婆さんと、おたまが商売物の煮物を持ってやってくる。

「これは助けてもらったお礼だ。みんなで食べてくれ。こらっ、松吉、おめえは騒いだだけで何もしてねえだろ」

「うるせえ、このババア。三十郎さんを呼びに走ったのは、おれじゃねえか」

女連中が高宗の隣の席を奪い合っているところに、噂《うわさ》を聞きつけた万造が一升徳利《とくり》を二つぶら下げて駆けつける。高宗にとっては最悪の状況だ。

「おう松吉、おめえの店から酒をもらってきたぜ」

「か、勘定はどうしたんでえ」

「おめえの給金から差《さ》っ引《び》いてくれって、言っといたぜ」

「じょ、冗談言うな。すぐにけえしてこい」

「みみっちい野郎だねえ。島田の旦那の客が来てるってえから、気を利かしたんじゃねえか。なあ、みんな」

おかみさん連中が万造に同調する。

「松吉さんがそんな塩《しょ》っぱい男だったとはねえ」

「鉄斎の旦那に恥をかかせる気かい」

松吉は半纏《はんてん》の裾を捲《まく》って、胡坐《あぐら》をかき直した。

「べらぼうめ。そうまで言われちゃ仕方ねえ。おれの奢《おご》りだ。じゃんじゃん呑んでくれ」

こうして酒盛りははじまった。

「三十郎さんは、ご浪人なんですか」

「いや、拙者は貧乏旗本の三男坊でござる」

「へえー、旗本だってよ」

「だが、三男坊ともなれば、浪人と同じでな。養子にでもいかぬ限り、武士として、お家を受け継ぐことはできん」

「お侍ってえのも、てえへんなんですね」

女たちは、万松の二人に高宗を取られてたまるかと攻勢に転ずる。

「まあ、おひとついかが～」

お里は、高宗に酒を注ぎながら――。

「それなら、侍なんか、やめちゃえばいいのに～。三十郎さん一人くらいなら、あたしが食べさせてあげるから～」

寄り添ってくるお里に、たじろぐ高宗。反対側からは、お奈津が酌《しゃく》をする。

「まあ、いい呑みっぷりだこと。四十女のお里さんは無理ですよね～。そこへいくと、あたしはまだ三十路《みそじ》前ですから」

呆《あき》れ返る万松の二人。

「あんたたちは、亭主のいる身じゃねえか」

「まるでサカリがついた雌《めす》猫だぜ。三十郎さん、気をつけねえと、そのうち引っ掻《か》かれますぜ」

高宗は、このひとときを、心から楽しいと思えた。この連帯感は何だろう。この安堵感はどこから生まれるのだろう。悪態をつくのが楽しそうで、悪口を言われるのが幸せそうだ。心に垣根《かきね》がなく、世辞も言わない。なのに、小さな見栄《みえ》や意地を張る。鉄斎はこんな人たちの中で暮らしているのか。

「無理だな……」

おけい婆さんが手を叩いて喜んだ。

「ほーら、無理だってよ。色男を見ると、すぐその気になりやがって。三十郎さん、あたしじゃ駄目かい。たっぷりかわいがってあげるよ」

おけい婆さんは、着物から肩を出す仕種《しぐさ》をした。満座の爆笑だ。

高宗が無理だと言ったのは鉄斎のことだ。鉄斎を黒石藩に呼び戻し、自分の右腕として腕を振るってほしいと願っていたのだ。だが長屋の住人たちの心を肌で感じた今、鉄斎がどのような気持ちでこの長屋に住んでいるのか、わかるような気がしたからだ。

酒席が続き、高宗の顔もだいぶ赤くなってきた。

「しかし、この煮魚はうまいのう。こんなにうまい煮魚を食べたのは久しぶりだ」

おけい婆さんは自慢げに胸を張る。

「鉄斎の旦那は、この煮豆が大好きでね。いつもこればかり買ってくのさ」

高宗は煮豆にも手を伸ばし、舌鼓《したつづみ》を打つ。

「やはり、食べ物は温かくなくてはいかんのう」

「なんですか、そりゃ。三十郎さんはいつも冷たい煮豆を食べてるんですかい」

「毒見《どくみ》役の後だからのう」

意味がわからず、場が静かになったが、すぐに万造が反応して笑いだす。

「あははは……。洒落《しゃれ》だよ、洒落。みんなわからねえのか。貧乏旗本の三男坊が、殿様みてえなことを言うって洒落じゃねえか」

松吉は自分の額を叩く。

「こいつぁ、驚いた。おもしれえ人だ。あははは……」

高宗は、それほど酒が強くない。女たちに呑まされたせいで、かなりいい気持ちになってきた。それは同時に自制心を失うことにもつながる。

おたまが、芋と野菜の煮物を皿に入れ、高宗の前に差しだした。

「島田様は、このお芋も大好物なんですよ。これも召し上がってくださいまし」

高宗は、その皿に入った煮物をまじまじと見つめてから――。

「くるしゅうない。下がってよいぞ」

一同はやんやの大喝采《かっさい》だ。何人かは腹を抱えて転《ころ》げ回っている。

「まるで殿様じゃねえか。よし決まった。三十郎さんの渾名《あだな》は殿様だ。殿様でいいですね」

「よきに計《はか》らえ」

「こりゃまた一本とられたぜ。おもしれえから、どんどん呑ませようじゃねえか」

引き戸が開くと、立っているのは八五郎《はちごろう》と佐平《さへい》だ。

「おめえたち、盛り上がってるじゃねえか。おれたちも仲間に入れろ」

万造は、手をひとつポンと叩いた。

「よっ。お二人さんのご案内でえ。酒は持ってきたんでしょうね」

「あたりめえだ。そんな野暮天《やぼてん》じゃねえ」

年下の松吉は立ち上がって、八五郎たちに席を譲《ゆず》る。

「八五郎さん、こちらが鉄斎の旦那の知り合いで、殿様だ」

「なに、殿様だと」

「そう殿様なんですよ、この方は。確か、お名前はにぇえ……」

松吉は、すでに呂律《ろれつ》が回らなくなっている。

「お名前は何でしたっけ」

「黒田三十郎だが、本当は、津軽甲斐守高宗と申す。くるしゅうない」

一同が爆笑するのを理解できない八五郎と佐平。

「おい、お里。何がそんなにおもしれえんだ」

「酔っ払えばわかるよ」

「じゃ、どんぶりで呑もうじゃねえか。こちらの殿様にも、どんぶり持ってきてくれ」

宴会は修羅場《しゅらば》と化していった。

島田鉄斎は、早朝に向島の船宿を発った。工藤惣二郎から聞き込んだ手掛かりを、ひとつずつ探らなければならない。廻船問屋、三倉屋の仁三郎。木場《きば》あたりを根城《ねじろ》にしているごろつきたち。江戸では、ここを切り崩すしかない。おそらく、ごろつきたちは三倉屋に雇《やと》われているのだろう。あれこれと思案しながら歩く鉄斎だが、向島と亀沢町は造作ない距離。何も思いつかないまま、おけら長屋に着いてしまった。

何か違和感を覚える。いつもなら、おかみさん連中が井戸に集まりだす時刻だが、誰もいない。長屋からも、人が動く気配《けはい》が感じられない。

自分の家の近くまで歩くと、鉄斎は身構えた。五寸（約十五センチ）ほど開いた引き戸から、人間の片足が出ている。賊《ぞく》か。いや、こんな貧乏長屋には、ねずみも入らない。引き戸を開けると、そこには凄《すさ》まじい光景が広がっていた。

一升徳利、茶碗、大皿や小鉢に箸。着物や半纏などが散乱するなか、褌姿で引き戸から足を出しているのが八五郎。土間に転がっているのが佐平。座敷で全裸となって重なり合っているのが、万造と松吉だ。もう一人はだれだろう。褌一丁で大の字になって引っ繰り返っている。腹には墨で人の顔が描かれている。腹芸《はらげい》が好きな八五郎に強要されたのだろう。右目と口の周囲も墨で黒く塗《ぬ》られている。奥の壁には数本の刀が立てかけてあった。侍か……。酔った勢いで万松あたりが悪戯《いたずら》で描いたのだとすれば、ただでは済まぬ恐れもある。

鉄斎は足場を探して座敷に上がると、その侍に近づいた。それにしても間抜けな顔だ。

「もし、起きてくだされ。もし」

まったく反応がない。今度は上半身を揺らした。

「もし、起きてくだされ」

その侍は目を瞑《つぶ》ったまま、夢中遊行《むちゆうゆうこう》のように身体《からだ》を起こした。また倒れようとするのを鉄斎が肩をおさえて止める。

「もし」

ゆっくりと瞼《まぶた》が開いた。

「おお、鉄斎ではないか。久しぶりじゃのう」

少しの間があって――。

「と、殿。殿でございますか、これは一体……。こ、これはまずいですぞ。とりあえず私の肩につかまってください」

鉄斎は、高宗と刀を万造の家に運び込んだ。盗まれるものなど何もないから、鍵もない。長屋は便利だ。

胡坐をかいて頭を左右に振る高宗の前で、鉄斎は両手をついた。

「御無沙汰《ごぶさた》をいたしておりました」

「挨拶《あいさつ》などどうでもよいわ。それより、水をくれ。水を」

顔と腹に悪戯描きをされ、褌一丁で水をガブ飲みする男。とても身分ある大名とは思えない。

「さて、事の次第を説明していただきましょう」

高宗は大きな欠伸《あくび》をして、首筋を掻いた。

「それが、おれにもよくわからん。お忍びで鉄斎に会いに来たのだがな。そうだ、お前がおらんのがもとだ。それから煮売り屋に連れていかれ、長屋での大宴会だ」

「お供の者は……」

「そ、そうだ。真之介が人質にとられた」

鉄斎は呆《あき》れ顔になる。

「さっぱり、話がわかりませぬ」

「そう矢継《やつ》ぎ早《ばや》にポンポン言うな。寝起きで頭が回らんわ」

「藩邸はこのことをご存知なのでしょうな」

「知るわけないだろう」

「なんと。今ごろ、大騒ぎでございますぞ」

「心配するな。うるさ型の工藤は留守だ。もっとも、そろそろ帰るころかもしれんがな」

鉄斎は、昨夜、工藤と会っていたことを言わないことにした。

「とりあえず、その顔と腹の墨を落としていただきましょう」

井戸で身体を拭《ふ》いていると、万造と松吉がフラつく足でやってきた。

「これは、これは、殿様。お早いですね」

鉄斎の顔は引きつった。

「ご、ご身分を明かしたのですか」

「心配するな。成り行きでそう呼ばれているだけだ。黒田三十郎ということになっている」

万松の二人は、だいぶ酒が残っているようだ。

「おや、島田の旦那もお帰りで。見せたかったなあ、殿様の腹芸。あんなに盛り上がった酒盛りは久しぶりだ。なあ、松ちゃん」

「それに殿様は洒落の達人だ。島田の旦那の知り合いとは思えねえ。みんな笑いっぱなしでしたぜ」

高宗は恥ずかしそうに、下を向いた。

「お里さんが、島田の旦那の家で、朝飯の仕度《したく》をしてくれました。おれたちは、このまま仕事に行くんで。また呑みましょうぜ、殿様。なんなら今夜でもかまわねえ」

「それじゃ殿様、また笑かしてくださいよ」

万造と松吉は、千鳥足《ちどりあし》で出かけていった。

「殿、何がおかしいのですか」

高宗は、飯と沢庵《たくあん》と味噌《みそ》汁《しる》だけという粗末な朝飯を頬張《ほおば》りながら、ニヤついている。

「何がって、何もかもだ。昨夜のことを思い出しただけで笑いがこみ上げてくる。それにこうして鉄斎と、こんな長屋で飯を食っているのも滑稽《こっけい》だ」

高宗は箸を止めた。

「元気そうだな、鉄斎」

「はっ。おかげを持ちまして」

「そう硬くなるな。お前はもう、おれの家臣ではない。それにおれは、黒田三十郎という貧乏旗本の三男坊だ」

高宗は、昨日、おけら長屋に来てからのことを楽しげに語りだした。鉄斎もその出来事を、ときには笑い声をあげながら聞く。お里や、お咲のやりとりが目に浮かぶ。

「しかし、真之介には悪いことをした。今ごろ胃を摩っているであろう。まあ、何事も経験だからのう。お、おい。鉄斎、おれの話を聞いているのか」

何かを考え込んでいた鉄斎が——。

「殴られた若いごろつきが、三両はいらないから、巾着を返してくれと言ったのですね」

「ああ。大事なものが入っているとか……。余計なことは言うなと、また殴られていたな。あれは、因縁などではない。切羽《せっぱ》詰まっておった。だが、煮売り屋の二人が盗んだとも思えんしな……」

鉄斎は、昨夜、工藤惣二郎から聞かされた話を思い出していた。工藤が、柳原通りで廻船問屋の三倉屋仁三郎から奪おうとしたのが、紫色の巾着に入った刻印だという。おそらく、襲われた仁三郎は、その刻印を所持していることは危険だと判断し、だれかに預ける。仁三郎の周囲には、用心棒やごろつき連中が取り巻いているのだ……。可能性はある。次第にその思いは確信へと変わっていく。なぜなら、この事件に、おけら長屋の連中が絡《から》んでいるからだ。おけら長屋は騒動の宝庫だ。あの連中が関わると、思いもよらぬ奇想天外な結末を呼ぶ。黒石藩の次席家老が抜け荷を働き、その証拠となる刻印をごろつきどもが紛失し騒動を起こして、その場面に出くわしたのが黒石藩の藩主だった――などという茶番劇が、当たり前のように起こってしまうのだ。

「とにかく、殿は一度、藩邸にお戻りくだされ。真之介という若侍のことも、私におまかせください」

「断る」

　高宗は箸を乱暴に置いた。

「鉄斎、手柄《てがら》を独り占めするつもりだな」

「また、そのような子供じみたことを。少しは自《みずか》らのお立場を考えなされ。では、こうしましょう。とりあえず藩邸に戻り、家臣の者たちを安心させてください。私には、確認したいことがあります。その後に藩邸にお伺いいたしましょう。それならよろしいですな」

　高宗は渋々、了承した。

　藩邸に高宗が戻ると、迎えに出た家臣たちは、胸を撫で下ろした。皆一様に目が赤い。一睡もしていないのであろう。好都合なことに、工藤惣二郎はまだ帰っていない。高宗の無断外泊は、口止めすることができる。鉄斎は、その足で泰平《たいへい》長屋に向かった。おけい婆さんと、おたまが住む長屋である。

　運よく、おけい婆さんと、おたまは、井戸端で煮つけにする大根や芋を洗っていた。

「昨日は、私の知り合いが世話になったらしいな」

おけい婆さんは、その声に顔を上げた。

「おお、鉄斎の旦那かい。あのお侍はどうした。死んじゃいねえだろうな」

「ああ、何とか生きていたよ」

鉄斎はここで表情を変えた。

「ところで聞きたいことがある。ごろつきどもが忘れていったという巾着だが、本当に何も知らないのか」

「巾着だと……。知ってるよ」

おけい婆さんは、大根を洗いながら他人事《ひとごと》のように答えた。

「そうか……。えっ、今、何と言った」

「だから、知ってると言ったんだよ。鉄斎さん、その歳《とし》でもう耳が遠いのか」

「どういうことだ。教えてくれ」

「一緒に大根を洗ってくれたら教えてやらあ。ほら、ここに座んなよ」

おけい婆さんの、あくたれ口に、おたまが吹き出した。

「若いごろつきが、おたまにちょっかいを出したとき、手に持っていた巾着を屋台の縁《へり》に置いたんだ。そこに現れたのが鉄斎の旦那さ。それから押問答《おしもんどう》があっただろ。みんな、そこに目がいくわな。そのとき、京太《きょうた》って悪ガキが巾着を盗んで逃げやがった」

「なぜ、それを言わなかったのだ」

「鉄斎さんにゃ、関係のねえこった」

困った顔をして、おたまが立ち上がる。

「島田様、あの若いお侍さんは、人質になったままなんですか」

鉄斎は頷いた。

「婆ちゃん、話してやんなよ。島田様のことだ、京太のことだって悪いようにはしないよ」

おけい婆さんは、大根を洗いながら——。

「京太ってえのは、十三歳になるかな。二年ほど前に、どっからともなくやってきた孤児《みなしご》だ。住む家なんかはねえ。橋の下や、寺の縁《えん》の下《した》で暮らしてらあ。ちょいと目を離すと、商売物の煮物を盗みやがる。だからよ、売れ残った煮物をやったら『おれは乞食じゃねえ』と抜かしやがった。乞食より盗人《ぬすっと》の方が上だと思ってやがる。男ってやつは見栄を張りてえもんだからな」

大根はすっかり白くなったのに、おけい婆さんは、タワシを動かし続ける。

「だから、婆ちゃんは、京太が持っていきやすいように、煮物を皿に入れて、縁台の上に置いておくんです」

「あの巾着には、金だけじゃねえ、何か大切なものがへえっている。京太のことを喋ったら、ごろつきどもにとっつかまって、へタすりゃ殺される。どうせ人様を泣かせて作った金だろ。だったら京太にくれてやった方がいいだろ」

鉄斎は大根を置いて立ち上がる。

「だが、理由はどうあれ、盗みは盗みだ。おたまちゃん、その京太とやらのねぐらを教えてくれ」

「たぶん、長桂寺《ちようけいじ》の境内《けいだい》だと思います」

歩きだした鉄斎の背中に、おけい婆さんの声が飛ぶ。

「おい、鉄斎。丸く収めろよ。でねえと、おめえに煮物は売らねえからな」

振り返った鉄斎は指先で鼻の頭を掻く。

「肝心《かんじん》なことを聞き忘れた。その巾着は何色だったかな」

「これだよ」

おけい婆さんは、着物をめくって紫色の腰巻を見せた。

真之介は、富岡八幡宮《とみおかはちまんぐう》の裏手にある、ごろつきたちの住処を抜け出し、藩邸に向かっている。人質といっても縛られていたわけではなく、奥の座敷に入れられていただけだ。もとより小心者の真之介であるから、眠れぬ夜を過ごしたのは言うまでもない。だが、この小心者ぶりが功を奏した。

夜も更《ふ》けて、静まり返ったころ、男二人の会話が聞こえてきた。酒が入っているらしく、自分たちの声の大きさに気づかないようだ。

「三倉屋の旦那から預かった巾着をなくしちまったのはまずかったな。なくした留《とめ》造《ぞう》を簀巻《すまき》にして大川に放り込んだところで、済む話じゃねえ」

「その巾着には、何が入ってたんで」

「三倉屋は、抜け荷を売る手引きをしている。廻船問屋の手を借りなきゃ、抜け荷は運べねえからな。その取引に使う刻印らしい」

「そりゃ、てえへんだ。三倉屋は、抜け荷の品をどこから手に入れてるんでしょうね」

「わからねえ、蝦夷地の特産品を扱う、北国の藩だと聞いた。三倉屋の旦那が、狩野軍兵衛様と口走ったことがある。そのお方が黒幕だろう。まあ、おれたちには関係のねえことだ。三倉屋の旦那の言う通りにしてりゃ、おこぼれにあずかれる。そのためには何としても巾着を見つけなきゃならねえ」

黒石藩が抜け荷……。黒幕は次席家老の狩野軍兵衛だと……。これは藩の一大事だ。真之介は他に探れることはないか、試みた上で、ここから脱出する決意をした。

長桂寺の仏殿前にある石段に腰を下ろす島田鉄斎。仏殿の縁の下に茣蓙《ござ》が敷いてあるので、ここが京太のねぐらなのだろう。しばらくすると、継ぎはぎだらけの粗末な着物を着た少年がやってきた。

「あ、あんたは、この前、煮売り屋のおたまちゃんを助けてくれた……」

「おう、覚えていてくれたか。島田鉄斎と申す。時間がないので前置きは言わん。あのとき、お前が盗んだ巾着を返してもらいたい」

京太の目つきが変わった。

「知らねえよ。言いがかりをつけるのはやめてくれ」

「お前、煮物をくれた婆さんに、乞食じゃないと啖呵《たんか》を切ったそうだな」

「ああ、それがどうした」

「なのに、結局は、婆さんから煮物をもらって生きている。礼は言ったのか」

「うるせえ。おいらは、だれの世話にもならずに生きていくんだ」

「ほう、ずいぶんと都合がいいんだな。お前は乞食や盗人以下の外道《げどう》だ。人に頭も下げず、盗んだことも認めないのだからな」

京太は、落ちていた棒切れを拾うと、鉄斎に向かって構えた。

「お前に関係ねえだろ」

「あのごろつき連中はな、おけい婆さんが巾着を盗んだと思いこんでいる。昨日、屋台にやってきて暴れた挙句《あげく》、巾着の代わりにおたまちゃんを連れていこうとした。よほど大切な物が入っていたんだろう。おけい婆さんは、お前が巾着を盗んだことを知っていたが、何も言わなかった。言えば、お前があのごろつきどもに殺されるかもしれないと思ったからだ。そんなおけい婆さんに対して、お前はどうだ」

「うるせえー」

京太は奇声を発しながら、鉄斎に棒切れを振り下ろす。鉄斎は目を見開いたまま、それを額で受けた。額からはひと筋の血が流れる。

「な、なんで、よけねえんだ」

「なかなか鋭い振りだ。痛い。痛いぞ。だがこの痛みは、何日かすれば治《おさ》まる。京太、お前にも、痛いところがあるだろう」

京太は、棒切れを構えたまま固まっている。鉄斎は自分の胸を叩いた。

「心だよ。心が痛くないか。その痛みは何日かすれば治《なお》るのか。いや、絶対に治らん。どうすれば、心の痛みがとれるのか、お前がお前自身で考えることだ」

鉄斎は立ち上がると、京太のすぐ横を通って歩きだす。

「待ってくれ。巾着はここにある。金は少し遣《つか》っちまったけど」

京太は懐から紫色の巾着を取りだした。

「おいら、ひとっ走りして、煮売り屋の婆さんに返してくらあ」

「その必要はねえよ」

見ると、仏殿の陰から、おけい婆さんと、おたまが出てきた。

「鉄斎さんよ、気になったから、来てみりゃ案《あん》の定《じょう》だ。臭《くさ》い芝居《しばい》だったが、ちょいとだけ泣けたよ。なあ、おたま」

おたまは、笑いながら涙を拭《ぬぐ》った。


藩邸に戻った田村真之介は、悩んだ末に、御目付の工藤惣二郎に事の次第を打ち明けることにした。藩邸のどこに狩野一派が潜《ひそ》んでいるかわからないが、工藤惣二郎だけは絶対に違うと確信があったからだ。

真之介は、昨日からの出来事を工藤惣二郎に打ち明けた。

「馬鹿者！　殿をお忍びで町中に連れだすとは何事だ。お前の言いたいことはわかる。『うるさい工藤のいないうちに』『お前は工藤の家臣なのか、おれの家臣なのか』などと、そそのかされたのだろう」

「よく、おわかりで……」

「当たり前だ。伊達《だて》に歳は重ねておらん。そこをお止《と》めするのが家臣の務めなのだ。ご正室《せいしつ》の玉姫《たまひめ》様は未《いま》だご懐妊《かいにん》の兆候なく、殿は側室《そくしつ》を迎えるおつもりもない。殿にもしものことがあれば、何千という領民、何百という家臣とその一族が、路頭に迷うことになるのだぞ。お前にその責めが負えるのか。武家はお家第一。よく肝《きも》に銘《めい》じておけ」

真之介は平身低頭《へいしんていとう》のままだ。

「しかし、殿にも困ったものだ。島田殿に会いたければ、屋敷に呼べばよいものを」

「しかし、島田鉄斎殿にお会いすることはできませんでした」

「そうだろうな。そのとき島田殿は、向島の船宿で、わしと会っておったのじゃ。ところで、真之介、いつまで頭を下げている気だ」

真之介は、いつもより泣きそうになっている顔を上げた。

「なぜ、工藤様が島田殿と……」

工藤は手招きをして、声を落とした。

「近くに寄れ。わしはな、藩内で行われている抜け荷を内々に調べておる。その協力を島田殿に請《こ》うたのだ。そうか……、わしの睨んだ通り、黒幕は狩野軍兵衛であったか……」

廊下から小さな足音が近づいてくる。

あるのだ」

「馬鹿者。元服すれば一人前の武士である。覚えなければならぬことが山のように

意味を理解した真之介は、平身低頭の形に戻る。

「申し訳ありません」

襖の外から「工藤様」という声がかかる。

「島田鉄斎様が、工藤様に、お目通りを願っております」

「かまわぬ。ここへ通してくれ」

鉄斎は座敷に入ると、もう一度、襖を開き、人の気配がないことを確認した。

「島田殿。紹介いたそう。当藩用人見習《ようにんみならい》の田村真之介でござる」

真之介は、頭を下げた。

「田村真之介……。確か、ごろつきどもの人質となった……」

「その真之介でござる。抜け出してきたのじゃ。上々の土産《みやげ》を持ってな」

工藤は鉄斎に、狩野軍兵衛が黒幕であることを話した。

「ところで、島田殿、その額の傷は……」

「誉《ほま》れある負傷です。真之介殿の働きに負けるわけにはいきませんからな」

鉄斎は懐から紫色の巾着を取りだし、工藤の前に置いた。工藤は素早く巾着の紐《ひも》を解き、木目《もくめ》のついた刻印を手に取った。

「こ、これじゃ。仕事が早いのう。さすが、噂通りの御仁《ごじん》じゃ」

「運がよかっただけです。言ってみれば、おけい婆さんのお手柄ですな」

鉄斎は、おけい婆さんの顔を思い出して微笑《ほほえ》んだ。工藤は刻印の彫目《ほりめ》を見つめながら呟《つぶや》いた。

「この刻印で狩野が落とせるだろうか。白《しら》を切ろうと思えば切り通せる」

「こちらも上々の土産を持参しました。もう一度、巾着の中をお確かめください」

工藤が巾着を逆さにして振ると、小判二枚と小銭が畳の上に落ちる。少しの間をおいて折り畳《たた》んだ紙が出てきた。その紙を広げる工藤。

「おお、これは……」

「狩野軍兵衛と廻船問屋三倉屋が、交わすことになっていた約定書です。まだ三倉屋仁三郎の署名と捺印《なついん》はありませんが、狩野軍兵衛の名が書かれ、この刻印がはっきり押してあります。さらに黒石藩が扱う蝦夷特産の品や、額面なども記してあります。狩野が抜け荷を働いていることは、もはや明白です」

工藤は、約定書と刻印を手に立ち上がる。

「早速、殿に申し上げねば……」

鉄斎は、両手で工藤の動きを制する。

「お待ちください。せっかくの機会です。黒石藩の大掃除をいたしましょう」

黒石藩江戸詰めの家臣、田沼政一郎《たぬませいいちろう》は、足早に、駒形町《こまがたちょう》の蕎麦《そば》屋に向かっている。昨日、伊予橋《いよばし》の近くで薄汚い少年に、小さな封筒を渡された。

「黒石藩の田沼様ですね。これを渡してくれって」

少年はすぐに走り去る。

《明日の未《ひつじ》（午後二時）の刻《こく》　駒形町の蕎麦屋日吉《ひよし》に来られたし》

差出人の名はない。つまり廻船問屋の三倉屋ということだ。主の仁三郎が襲われ、巾着を奪われそうになってから、用心が深まった。こんなとき遠方の藩は辛《つら》い。津軽にいる狩野軍兵衛とは、容易に連絡や情報のやりとりができない。三倉屋とも会うことができなくなった。次の抜け荷の引渡しは、一か月後のはずだ。三倉屋からは、まだ約定書が届かない。こちらからは渡してあるというのに。

田沼政一郎は、不安で苛立《いらだ》つ日々を過ごしていた。そこに、このつなぎだ。

未の刻と言えば、昼の混雑が一段落するころだ。二階の個室に通される。下座に一人の若い男が座っていた。その男は店の者に、酒と料理を頼み、改めて正座をした。

「田沼様でございますね。私は三倉屋の手代《てだい》で久蔵《きゅうぞう》と申します。仁三郎と番頭《ばんとう》の代理で参りました」

「ずいぶんと用心深いな」

「当然のことでございます。命がけの仕事でございますから」

まだ二十そこそこの手代だが、肝が据《す》わった男のようだ。三倉屋では数々の修羅場を踏んでいるのだろう。

「狩野様にお伝えください。ほとぼりが冷めるまで、取引は休止したいとのことでございます」

「それはできん。当方にも支払いの都合があるのだ。三倉屋も商人なら、そのあたりの仕組みは察しがつくであろう」

「わかりました。帰りまして、仁三郎に伝えましょう」

田沼政一郎は、安堵した。狩野軍兵衛の金遣いが荒く、資金繰りが悪化していると聞いていたからだ。

「ところで、刻印を紛失したとの噂だが、見つかったのであろうな」

手代は余裕の表情を見せる。

「もちろんでございます。酒が遅いですね。様子を見てまいりましょう」

座敷から出た久蔵の腰は抜けそうだ。

「ご苦労だった。なかなかの名演技だったぞ」

肩を叩く鉄斎に、やっとの思いで笑い返す久蔵。

「もう、こんな役は勘弁してくださいよ」

久蔵はフラつく足で階段を下りていった。

手代の代わりに座敷に入ってきたのは、見知らぬ浪人。あっという間に刀を押さえられた。正面の襖が開くと、そこに立っているのは、藩主の高宗と、御目付の工藤惣二郎だ。

「話はすべて聞かせてもらったぞ」

田沼政一郎がこの状況を理解するまでには、しばらくの時間がかかった。

高宗と鉄斎は、藩邸の奥座敷で酒を酌《く》み交わす。まだ陽《ひ》は高い。

「工藤は、うまくやっているかのう」

「工藤殿のことです。抜かりはないでしょう」

幕府に知れれば、黒石藩の存続にかかわる一大事だ。内々で収めなければならない。狩野軍兵衛に荷担していた家臣は、総勢六名。これらの者たちは藩内で処分すれば済む。問題は廻船問屋の三倉屋だ。そのため、工藤惣二郎が三倉屋に飛んだ。何もなかったことにするためだ。三倉屋とて露見すれば、遠島《えんとう》では済まない。工藤の話を呑むしかないのだ。

「よくわからないのが狩野の刻印だ。約定を交わすのは、狩野と三倉屋だろう。なぜ、狩野の刻印を三倉屋が持っていたのだ。意味がないではないか」

「三倉屋の主人、仁三郎は狩野軍兵衛の種違いの弟なのです。つまり、狩野と三倉屋は一蓮托生《いちれんたくしょう》。抜け荷の売り先を信用させるために、約定書が必要だったそうです」

高宗は、盃《さかずき》の酒を呑み干すと、溜息《ためいき》をついた。

「まだまだだな……」

鉄斎は何も答えない。

「なんとも情けない藩主だ。家臣の悪事も見抜けず、尻拭いも家臣頼みだ」

鉄斎は、思いついたように盃を置いた。

「工藤殿は留守……。三十郎殿、これは絶好の機会ですぞ」

「お、おけら長屋か。なぜそれを早く言わぬ。よし、真之介も連れていこう。何かあったら、また人質にすればよい」

一ツ目之橋を渡ると遠回りになるが、鉄斎はその道を選んだ。回向院の前を通ることになるからだ。

「おお、鉄斎の旦那と殿様じゃねえか。煮物を買っていけ。人が増えたんでよ、稼がなくちゃならねえ」

不器用な手つきで、皿に煮物を盛っているのは京太だ。おたまは優しく見守っている。

「屋台を引っ張るときだけだ。こいつが役に立つのは……」

おけい婆さんの憎まれ口に、京太は舌を出した。

「鉄斎さん。ごめんよ。額は痛まねえか」

「ああ、もう痛くない」

「おいらもだ。もう、どこも痛くねえ」

京太は、そう言って自分の胸を叩いた。

真之介は、両手いっぱいに煮物を持たされ重そうだ。鉄斎は高宗の耳元で囁《ささや》く。

「三十郎殿。実を言うと、黒石藩を救ったのは、あの小僧なんです」

「えっ、それはどういうことだ。お、おい、鉄斎……、ちょっと待て」

追いかける高宗の背中を、大川に沈む夕陽が赤々と照らしていた。

本所おけら長屋(二一)　その五

あいおい

本所亀沢町《ほんじょかめざわちょう》にある、おけら長屋《ながや》に住む八五郎《はちごろう》は左官《さかん》の職人だ。同じ左官職人でも様々な立場がある。表店《おもてだな》に住む親方《おやかた》職人は、棟梁《とうりょう》とも呼ばれ、それなりの名利《みょうり》がある。親方になれるのは一部の者だけだ。親方の家に生まれるか、さもなくば、跡を継ぐ子供がいない親方の親方権を譲《ゆず》り受けなければならない。

八五郎は、親方ではないが、個人で仕事を請け負《うお》う独立した職人で、実入りは悪くない。左官職人としての腕を評価されてのことだ。だが、気風《きっぷ》がよく、目下の職人に見境なく奢《おご》ってしまうために、いつも金欠状態だ。

職人には、それ以外にも、親方から仕事をもらい、その手間賃《てまちん》を受け取る手間取り職人、住み込みで働く雇われ職人、その時々の仕事をもらう渡り職人、親方のもとで修業に励《はげ》む弟子《でし》職人などがある。いずれにしても、職人を目指すからには、親方に弟子入りをして、技術を身につけ、一人前になるしかない。

辛《つら》い修業に耐えて、腕に磨きをかければ、「細工《さいく》は流々、仕上げを御覧《ごろう》じろ」ということになり、食うには困らない。「宵越《よいご》しの銭は持たねえ」は、腕のよい職人だからこそ吐《は》ける名言なのだ。

八五郎の女房、お里《さと》が奉公先の成戸屋《なるとや》から帰宅すると、すっかり夕食の支度《したく》ができている。十九歳の一人娘のお糸《いと》が用意してくれたものだ。父の八五郎が職人、母が絹問屋《きぬどんや》に奉公しているので、お糸が家事を担当することになる。

長屋で暮らす女は忙しい。掃除、洗濯、炊事《すいじ》はもちろんのこと、水汲《く》みは重労働だし、裁縫も必須条件だ。長屋暮らしの庶民の着物は、古着が当たり前だったので、縫い直しや解《ほつ》れ直しはいくらでもある。お糸は、家事が済むと、同じ長屋に住む、お染《そめ》に裁縫を習っていた。

膳に器《うつわ》が並んだとき、計《はか》ったように八五郎が帰ってきた。命よりも大切にしている道具箱を指定の場所に置くと、座敷《ざしき》に上がって、ドカリと腰を下ろす。

「おお、今日の晩飯はお糸がこさえたのか。見れば、すぐわからあ。てえしたもんはねえが、ひと手間かけてある。これが女の才量ってもんだ」

八五郎は、ほうれん草の御浸《おひた》しを指でつまむと、口に放り込んだ。

「うめえ。鰹節《かつおぶし》の量が抜群だ。これより多くても少なくてもいけねえ。ちゃんと、おとっつぁんの好みを心得ていやがる。こりゃ、お糸の嫁入り先は、引く手数多《あまた》だな。色が白くて器量がよくてよ。お菜もこんなにうまく作れる。よりどりみどりってえのはこのことだ」

お里の顔つきが変わる。自分が産《う》んで育てた一人娘が褒《ほ》められているのだから、怒る道理もないのだが、これには深い理由があった。

そんなことは露知らず、八五郎は上機嫌で続ける。

「それに比べてよ、おめえのおっかさんは、てえへんだったぜ。器量もよくねえ、料理もできねえ。おれがもらってやったからいいようなもんでよ。おれがいなけりゃ、未だに行かず後家《ごけ》だぜ。あははは……」

口の悪さは八五郎の真骨頂《しんこっちょう》。この程度の憎まれ口はいつものことだ。だが今日のお里はいつもと違っていた。

「それなら今からでも遅くない。離縁しておくれよ。なんなら、今から出ていこうか」

穏《おだ》やかな口調《くちょう》が、却《かえ》って不気味だ。

「お、おい、お里。おめえ、いきなり何を言いだすんでえ」

「申し訳なかったねえ。器量も悪くて、料理もヘタで。これ以上、お前さんに迷惑かけたくないから、出てくって言ってんだよ」

「ほんの洒落《しゃれ》じゃねえか。それを真《ま》に受けやがって。どうかしてるぜ」

「あたしがかわいそうだと思って、一緒になってくれたんだろ。そんな惨《みじ》めな生活は耐えられない。お糸も、もう大人だ。あたしがいなくたって平気だから」

八五郎は、手の平《ひら》で畳《たたみ》を叩《たた》いた。

「何をごちゃごちゃ抜かしてやがる。出ていきてえなら、出ていきゃいいじゃねえか」

「ああ、そうさせてもらうよ」

お里は静かに家を出ていった。

「なんでえ、ありゃ。陽気のせいで頭がおかしくなったんじゃねえのか」

お糸は、ただ呆然《ぼうぜん》としているだけだった。


とりあえず、お里は、お染の家に駆けこんだ。おけら長屋で一人暮らしをしているお染の家は、夫婦喧嘩《げんか》の際には、女房たちの恰好の逃げ込み場所となる。

「それじゃ、ちょいと呑《の》んじまおうか」

お染は喧嘩の理由などは聞かない。酒を舐《な》めながら、たわい無い話をするだけだ。それがとても心地よい。

お里には、苛立《いらだ》ってしまった理由がわかっていた。

今日の昼、吾妻橋《あずまばし》の近くで、万年《まんねん》長屋に住む、左官の為三郎《ためさぶろう》と出くわした。為三郎と八五郎は、だれもが知る犬猿《けんえん》の仲である。（詳しくは『本所おけら長屋』その七「ふんどし」参照）これには深い理由があるのだが――。

「よう、お里ちゃん。元気そうじゃねえか」

「為さんこそ、すっかり貫禄がついて……」

ただそれだけの会話だった。

お里は本所松倉町《まつくらちょう》にある、万年長屋で生まれ育った。つまり、為三郎とは幼馴《おさなな》染《じ》みということになる。為三郎と偶然出会ったことで、忘れかけていた昔の出来事が甦《よみがえ》ってきた。お里の脳裏には様々な場面が駆《か》け巡《めぐ》り、眠れぬ夜を過ごした。

夫婦喧嘩は、おけら長屋の名物だ。だが、「江戸っ子は、五月《さつき》の鯉《こい》の吹き流し、口先だけで、はらわたはなし」で、一夜明けると、元の鞘《さや》に収まることになってい る。しかし、運の悪いことに翌朝、八五郎とお里は、井戸端で顔を合わせてしまった。いつもの癇癪《かんしゃく》だと高《たか》をくくっている八五郎が――。

「おめえがいねえと静かでいいや。おかげでゆんべは、ぐっすり眠れたぜ」

お里は、しばらく八五郎を悲しそうな表情で見つめていたが、そのまま、駆けだし、消えてしまった。

引き戸がゆっくりと開き、万造《まんぞう》が出てくる。

「いいんですかい、引き止めなくて。お里さんが、お染さんとこに泊まったって話は小耳に挟みましたけどね。何か、いつもと様子が違うような気がするけどなあ……」

八五郎は鼻先で笑う。

「まったく、女ってえのは厄介《やっかい》だぜ。何が気にいらねえのか、皆目見当《かいもく》がつかねえ」

万造は、肩にかけた手拭《てぬぐ》いを、井戸の上に放り投げた。

「喜四郎《きしろう》さんと、お奈津《なつ》さんとこが、やっとこさ収まったと思ったら、今度は八五郎さんか。やれやれだ」

先日、おけら長屋に住む、畳《たたみ》職人の喜四郎と女房のお奈津が、派手な夫婦喧嘩をやらかしたばかりだ。茶碗や皿が飛び交い、喜四郎の顔面は、引《ひ》っ搔《か》き傷だらけ。止めに入った、おけら長屋の住人三人も巻き添えとなり怪我《けが》をする大騒動となった。離縁すると譲らない二人の間に、大家《おおや》の徳兵衛《とくべえ》が入り、説得すること三日間、やっとのことで収まった。安堵《あんど》した徳兵衛が二人に尋ねる。

「お前さんたち、いいかげんにしておくれよ。少しはこっちの身にもなってくれ。ところで、喧嘩のきっかけは何だったんだい」

「へえ。胡瓜《きゅうり》は、浅漬《づけ》がいいか、古漬がいいかって話で……。古漬の方がいいに決まってらあ。味が濃い方が飯も食えるし、酒の肴《さかな》にもなる。なのに、お奈津の野郎が、浅漬がいいと抜かしやがるんで……」

お奈津の眉毛《まゆげ》が段違いになる。

「まだそんなこと言ってるよ。浅漬の方が瑞々《みずみず》しくておいしいですよね、大家さん」

「何だと、この野郎。てめえは、いちいち亭主の言うことに逆《さか》らいやがって」

「たいした稼ぎもないくせに、亭主面《づら》するんじゃないよ」

「うるせえ、このお多福女《たふく》。文句があるなら出ていきやがれ」

「悔しぃー。この表六玉《ひょうろくだま》。お前が出ていけ」

「亭主に向かって、お前とは何でえ」

徳兵衛が投じた「藪蛇《やぶへび》」によって、夫婦喧嘩は三日間の延長戦に突入し、終戦を迎えたのが一昨日《おとい》のことだった。

万造は、井戸で顔を洗いながら——。

「とにかく、仲良くやってくださいよ。こちとら、これから所帯を持つ身なんで。夢がなくならあ」

「夢なんざあるわけねえだろ。万造、おめえが羨《うらや》ましいぜ。身軽で気楽でよ。所帯なんざ持ったって、楽しいことはひとつもねえ」

八五郎は吐《は》き捨てるように言った。

北本所荒井町《あらいちょう》にある普請場《ふしんば》に向かう八五郎は少しばかり緊張している。贅《ぜい》を極《きわ》めた豪商宅の、離《はな》れの新築で、大きな仕事だ。もとより、八五郎は仕事の大小で手先を加減する男ではない。今日の普請場には、師匠《ししょう》である文蔵《ぶんぞう》が久しぶりにやってくるからだ。

八五郎の師匠である文蔵は、名人と謳《うた》われた左官の親方だったが、五年ほど前に腰を痛めて引退し、今は楽《らく》隠居の身だ。だが、まだ腕は衰えちゃいない。自慢の鏝《こて》さばきは健在で、大きな仕事には出張《でば》ってくる。

「親方、すっかり御無沙汰《ごぶさた》しちまって……」

いつもは肩で風を切る八五郎だが、文蔵の前では身体《からだ》が小さくなる。

「おお、八五郎。すまねえな。おめえも忙しい身なのによ。この仕事は、恩義ある人からの肝煎《きもい》りでな、失敗は許されねえ。文七《ぶんしち》にゃ、まだ荷が重いと思ってよ、おめえに声をかけさせてもらった。よろしく頼むぜえ」

側に立っていた文七は「八五郎あにい、よろしく頼みます」と言って頭を下げた。

「文七よ。今は、おめえが親方じゃねえか。おれに気を遣《つか》う必要はねえ。それより、文七、だいぶ親方の風格が出てきたじゃねえか」

文七は照れて頭を掻く。

「八五郎よ、調子に乗せるんじゃねえ。こいつはまだまだヒヨコだ。覚えなきゃならねえことが山のようにあらあ」

文七は文蔵の甥《おい》っ子で、八五郎の弟弟子にあたるが、八年ほど前に文蔵の養子となり、跡を継ぐことになった。若いが、職人使いも達者で、人望もあり、なかなかの親方になった。八五郎は、そんな文七を温かい目で見つめた。

久しぶりに文蔵の鏝さばきを目の当《ま》たりにした八五郎は、その名人技に感服した。鏝や塗土《ぬりつち》が、勝手に動きだす。鏝に載せられた塗土は、自《みずか》ら壁に吸いついていくようだ。それが名人と呼ばれる所以《ゆえん》なのだろう。自分はまだ、塗土を壁に押しつけている。まだまだ道は遠い。八五郎の視線に気づいた文蔵が――。

「なに見てやがる。もう、おめえに見せる技や手は、ねえはずだがな」

「いや、あっしなんざ、親方の足元にも及びませんや」

文蔵は「教える」ではなく「見せる」と言った。大工にしろ、左官にしろ、職人になる者は寺子屋を出る十二歳のころ、親方や棟梁に弟子入りする。職人の親方が仕事を教えることはない。すべては見て覚える。または盗む。教わったものは忘れるが、覚えたものは忘れない。「教えてください」とは言わないのが職人の掟《おきて》だ。

「八五郎、おめえはちっとも変わらねえな」

「何がですか」

「おめえの塗《ぬ》り上がりにゃ、柔らかさや、円《まろ》やかさはねえ。だが、力強さがある。言ってみりゃ仕事に筋《すじ》が通ってるってやつよ。それが、おめえの極めた腕だ。職人の仕事にゃ、心が表れちまうのよ。だから、いい仕事がしたけりゃ、まず、道具よりも心を磨いとかなきゃならねえ。本所石原町《いしはらちょう》にある酒屋の外壁、ありゃ、おめえの仕事だろ。見りゃすぐにわかる。見事な仕事だったぜえ」

八五郎は肩をすくめるが、尊敬する親方に褒められて悪い気はしない。

「ありがとうございます。でも、柔らかさのねえ、あっしの仕事は、茶室なんかには向かねえんで……」

文蔵は仕事の手を止めない。

「茶室には柔らけえ、円やかな壁が合うって、だれが決めた。心静かに茶を嗜《たしな》む部屋だからか。八五郎、まだわかっちゃいねえようだな。心を無にする茶の湯と、力強い壁。相反するものが本物だったら、そこに調和が生まれる。おめえの仕事が本物なら、合わねえ部屋なんてねえのよ。おめえ、今年で幾《いく》つになる」

「へえ。四十二になります」

「そうか。そのへんのことについちゃ、もう気づいてもいい歳《とし》だぜ」

技を極めた男の話は奥が深い。八五郎は、文蔵が一日でも長生きしてほしいと願う。自分にこんな話を聞かせてくれるのは、もう文蔵しかいないからだ。

昼になって弁当を食べ終わり、茶を飲んでいると、文蔵が不意に口を開いた。

「為とは……、相変わらずか……」

八五郎は何も答えることができない。

「おれはな、為か、おめえに跡を継いでもらいてえと思ってた。それがあんなことになっちまってよ。おれが野暮《やぼ》だった。まだ若かったってこったな」

文蔵は、遠くの空を眺《なが》めながら、茶を啜《すす》った。


万年長屋に住む為三郎と、おけら長屋に住む八五郎は、共に文蔵のもとで修業をした兄弟弟子だ。二人は同い歳で、十二歳のときに弟子入りしたが、為三郎の方が三日早い弟子入りだったので、立場上は、為三郎の方が兄弟子ということになる。八五郎の父親も左官職人だったが、十歳のときに他界し、八五郎は寺子屋を出ると間もなく文蔵のところに弟子入りした。

為三郎は、松倉町の万年長屋で育ち、知人の紹介で、文蔵に弟子入りした。二人は文蔵のもとで修業に励みながら、同い歳ではあるが、兄弟のような間柄となった。

為三郎も八五郎も、一本気で短気な性格だったため、取っ組み合いの喧嘩もしょっちゅうだったが、二日も経《た》てば元通り。普請場では、二人で組んで、他の大工見習いの連中とも、よく喧嘩をした。腕《うで》っ節《ぷし》には自信のある二人だから、恐いもの知らず。「文蔵のところの二人組」と言えば、為三郎と八五郎のことで、通称「為《ため》八《はち》」とも呼ばれていた。だが、左官の修業だけは真面目《まじめ》にやった。お互いに好敵手と認め合い、修業に励んだ。

そんな生活が八年ほど続き、為三郎と八五郎が二十歳《はたち》になったときのことである。

文蔵は二人を呼んで正座をさせた。

「おめえたち、鏝勝負をしろ」

為三郎と八五郎は顔を見合わせた。

「知っての通り、おれには跡取りがいねえ。つまり、おめえたちの、どっちかに跡を継いでもらわなくちゃならねえ。だがな、おれはおめえたち二人に、甲乙《こうおつ》をつけることができねえ。人物にも、腕にもだ。だから鏝勝負で跡取りを決める。酷《こく》なようだが仕方がねえ。職人の定めだ」

文蔵は腕組みをしたままだ。

「来月、林町《はやしちょう》にある吉元《よしもと》様のお屋敷から仕事をもらっている。おめえたちに一部屋ずつをまかせる。吉元様からは、好きなように塗ってくれればいいと了解も得ている。おれは完成するまで、普請場に出入りしねえ。つまりどっちの仕事か、わからねえってこった。おれが信頼する左官仲間を四人集める。おれを入れて合計五人だ。その五人で、仕事を見極めさせてもらう。三人以上が勝ちと決めた部屋の仕事をした方が跡取りだ。いいな」

職人にとって親方の命令は絶対である。逆らうことなど許されない。しかし、この跡取りには、もう一つ重要な意味があった。それは同時に、文蔵の一人娘、お豊《とよ》と所帯を持つということである。

お豊は十八歳になる文蔵の一人娘だ。穏やかな女だったが、八五郎は、お豊と夫婦《めおと》になるつもりはなかった。お豊に興味がなかったこともあるが、数年前から、為三郎がお豊を好いていることに気づいていたからだ。けれども為三郎との鏝勝負には負けたくなかった。たとえどんな状況であっても、職人として手を抜くことは許されない。八五郎は勝負に勝って、文蔵のもとを離れるつもりだった。

鏝勝負となる仕事は「五日間で仕上げる」「その間、お互いの仕事を見てはいけない」と定められていた。八五郎は修業した八年間の集大成を見せるべく、仕事に没頭した。

そして五日後。審査した五人は全員、八五郎の勝ちを認めた。八五郎は為三郎の様子がおかしいことに気づいた。結果はどうあれ男と男、五分と五分の勝負を終えた清々《すがすが》しさが感じられない。為三郎はそんな男ではない。八五郎は為三郎の仕事を見に走った。そこには、職人の思いや意地が、まるで感じられない壁があった。手を抜いたことは一目瞭然《いちもくりようぜん》だ。八五郎の身体は怒りで震《ふる》えた。

「為三郎。てめえ、勝ちを譲りやがったな」

為三郎は目を合わせようとしない。それが何よりの証拠だ。八五郎は左手で、為三郎の半纏《はんてん》の襟《えり》を鷲《わし》づかみにすると、右手の拳骨《げんこつ》を頬《ほお》に見舞った。倒れた為三郎の上に馬乗りになり、さらに殴《なぐ》り続けた。

「てめえは、おれを馬鹿《ばか》にしてるのか。おれがどんな気持ちでてめえを殴ってるか、わかってんのか」

八五郎の目からは涙が溢《あふ》れだす。

「おれは、命をかけた仕事でてめえに負けるんなら御《おん》の字なんでえ。負けて許せる相手はてめえ一人なんだからよ。おれはなあ、てめえも同じ気持ちだと信じてたんでえ。それをこんな見え透《す》いたチャチなまねしやがって。おれに勝ちを譲って満足なのか。ふざけるねえ」

為三郎が、体勢を入れ換えて上になった。

「勝たせてもらって喜んでりゃいいものをよ。だったら本当のことを言ってやらあ。おれが本気だとしたら、てめえが勝てるわけがねえ。かわいそうだから、勝ちを譲ってやったんだよ。ありがてえと思え。てめえはな、お豊ちゃんと所帯を持って、静かに暮らしてやがれ」

壮絶《そうぜつ》な取っ組み合いは、しばらく続いた。

この事件があって、二人が口を利《き》くことはなくなった。しばらくして、八五郎は一人前の左官職人となり独立する。その後、為三郎も独立するが、二人の仲はそのままだった。

実は——。為三郎は、お豊が八五郎を好いていると思っていたのだ。その上、八五郎もお豊に惚《ほ》れていると思い込んでいた。八五郎を上回る想像力のたくましさだ。為三郎は、好いた者同士——八五郎とお豊——が幸せに暮らしてくれることを望んだが、無骨《ぶこつ》な男の浅はかな策略は、見事なまでに失敗した。

相手を思う気持ちの食い違いが仇《あだ》となり、二人の男は「水と油」になった。一本気で強情な二人は、同業ということもあり、出くわせば、その度に喧嘩になること二十余年……。

文蔵はその後、甥っ子の文七を養子に迎えて、跡取りに据《す》えた。

八五郎の女房、お里は生まれ育った万年長屋にいる。実家の両親は、すでに他界していたが、子供のころから何かと世話になっている、お節《せつ》の家に身を寄せていた。お節は亭主に先立たれてのヤモメ暮らしだ。

「くだらない意地を張ってないで、八五郎さんのところにお帰りよ」

いつもなら「あのコンコンチキが頭を下げて迎えに来るまで帰るもんか」などと駄々《だだ》をこねるお里が、溜息《ためいき》なんぞをついている。

「お里ちゃん、どうしたんだい。いつもと様子が違うじゃないか」

お里は畳《たたみ》を見つめながら――。

「それがね、姉さん。あたしにもよくわからないんだよ。近ごろ、よく昔のことを思い出すんだ。うちの人と出会ったころのこととか。あの人、本当にあたしのことが好きで一緒になったんだろうか……。なんだか不安になってきちゃってね……」

お節は、苦笑する。

「そういうのって、厄介なんだよね。女や博打《ばくち》や酒とは訳が違うから。女にはね、意味もなく不安になっちまうときがあるのさ。あたしにもあったよ。この人と一緒にならなかったら、あたしはどんな暮らしをしてたんだろうかってね。そんなことを考えてたら、何もかも嫌になっちまってさ。だけどね、もう一度、昔に戻ってやり直すなんて、できやしないんだよ。だったらそんなこと考えたって無駄じゃないか。まあ時間が経てば、そんな気持ちも治《おさ》まるさ」

夕陽が引き戸の障子《しょうじ》を赤く染めている。

「お里ちゃんが羨ましいよ。あたしは、一人ぼっちだからね。あんたには、八五郎さんも、お糸ちゃんもいる。贅沢《ぜいたく》な悩みだよ」

お里は、二十二年前のことを思い出していた。当時、お里は十八歳で、両親《ふたおや》と松倉町にある万年長屋で暮らしていた。十五歳のときから、近所の塩問屋に通い奉公《ほうこう》をしている。同じ万年長屋に住む為三郎と仲のよかった、八五郎とも顔見知りだった。為三郎と八五郎が仲違《なかたが》いをしたことは風の噂《うわさ》に聞いている。そんなある日、奉公先からの帰り道で、偶然に八五郎と出くわした。もしかしたら、八五郎は自分のことを待っていたのかもしれない。お里には、そんな気がした。

「あら、八五郎さん。為さんのこと聞いたよ。どうしちまったのさ」

八五郎は照れくさそうに鼻の頭を掻いた。

「まあ、いろいろあってよ……」

「文蔵親方のとこをやめて、独《ひと》り立ちするって聞いたけど、本当なの」

「ああ……」

八五郎は、ここで真顔になった。

「その件で、お里ちゃんに話があるんだ。つまり、その……、おれと所帯を持っちゃもらえねえか」

「えっ、所帯を持つって、だれと」

「おかしなことを聞くなよ。お里ちゃんに言ってるんだから、お里ちゃんに決まってんだろ」

「ちょっと待ってよ。八五郎さん、あたしと所帯を持ちたいって言ってるの」

「端《はな》からそう言ってるつもりだが」

青天《せいてん》の霹靂《へきれき》だった。お里は、女としての自分を卑下《ひげ》していた。器量はよくないし、料理や縫い物も苦手だ。おまけに男勝《まさ》りのおてんばだ。両親も結婚についてはサジを投げているようだったし、お里自身も、嫁にいくことは、半ば諦《あきら》めていた。だから奉公先の塩問屋では身を粉《こ》にして働いた。奉公先の受けもよかったので、このまま働きづめで終わってもよいと覚悟していた。そこへ、思いもよらぬ八五郎からの求婚。戸惑ったものの、そこは女、夢見心地になったとしても仕方ない。八五郎は、職人にしては色白で、なかなかの男前だ。気風と人情を持ち合わせた江戸っ子で、女受けもいいらしい。そんな八五郎が自分に――。

「そ、そんなこと、急に言われても……」

「好いた男でもいるのか」

「そんなの、いないよ……」

「なら、おれのところへこい。ごちゃごちゃ御託《ごたく》を並べるのは好きじゃねえ。おめえは、おれと一緒になりゃいいんでえ」

八五郎らしい言葉だった。そして、その言葉は、お里の胸に響いた。お里は「よろしくお願いします」と言って頭を下げた。本当は赤くなった顔を八五郎に見られたくなかったのである。

お里の両親は思わぬ嫁《とつ》ぎ話に喜んだ。八五郎は左官職としての腕も確かで、若い者からの人望もある。それにどう考えたって、お里の性格は、商人の女房より、職人の女房向きだ。こうして二人の結婚話は、とんとん拍子で進んだ。

だが、世の中には他人の幸せを妬《ねた》ましく思う者もいる。万年長屋に、お永《えい》という独り者の女が住んでいた。色気はあるが、意地の悪いところがあったので、――その所為《せい》かはわからないが――良縁に恵まれず三十路《みそじ》近くになっている。

祝言《しゅうげん》があと一か月に迫ったころ、お里は、お永の家に引っ張り込まれた。

「あんた、八五郎さんのことを、どこまで知ってるんだい」

「どこまでって……」

「八五郎さんはね、文蔵親方の娘さん、お豊ちゃんといったっけ。あの娘のことが好きだったんだよ。聞けば、為三郎さんも、お豊ちゃんのことが好きだったらしい。それがもとで二人は大喧嘩になったのさ。あんなに仲がよかったのに、お豊ちゃんも罪な女だねえ。二人は、傷《いた》み分けってことで、お豊ちゃんから手を引いたんだ。八五郎さんはね、お豊ちゃんのことを忘れようとして、あんたに声をかけたんだよ。男なんてそんなものさ。何も知らずに、あんたがあんまり嬉《うれ》しそうにしてるもんだからさ、かわいそうになって、教えてやるんだからね」

器量もよくないくせに、意外な良縁をつかんだお里への嫉妬《しっと》。もちろん根も葉もない作り話だ。だが、お里には思い当たることがあった。器量も悪く、料理も縫い物も苦手な女を嫁にほしい男なんているわけがない。一緒になりたいと言われたのは、為三郎と仲違いして、すぐのことだった。今まで、何の素振《そぶ》りも見せたことがない八五郎の突然の言葉……。よく考えてみると、お永の話を肯定することばかりだった。女として劣等感を抱えていたお里は動揺した。だが、八五郎に本当のことを聞くのは堪《たま》らなく怖い。祝言まで、あと一か月だ。お里は、その不安な思いを心の奥の箱に仕舞《しま》い込んだ。

二十二年も経って、心の奥にある箱の蓋《ふた》が開こうとしている。

お里は万年長屋で、仕事から戻る為三郎を待っていた。自分の亭主と仲違いしてしまった幼馴染みの為三郎とは、この二十年余り疎遠になっている。数日前、吾妻橋の近くでばったり会ったときも、ひとことふたこと話をしただけだ。為三郎は、井戸端に立つお里を見て微笑《ほほえ》んだ。

「為さん、ちょっと聞きたいことがあるんだ」

為三郎は何も答えずに道具箱を置いた。

「二十年前に、うちの人と何があったのか知りたい」

「どうしたんだい、お里ちゃん。八の野郎と喧嘩でもしたのか」

「ねえ、教えておくれよ。あんなに仲がよかった二人がどうして仲違いしたんだい」

「今さらそんなことを知ったって仕方ねえだろ。もう済んだことだ」

「お願いだよ、為さん。教えておくれよ」

為三郎は、お里の目を見つめた。

「丸く収める話をするのは簡単だが、そりゃ通用しそうもねえな。よし。それじゃ話そう。ただし、半分は、おれの察《さつ》しだ。それが当たってるとは限らねえ」

お里は静かに頷《うなず》いた。

「二十二年前、文蔵親方は、おれか八五郎のどちらかを跡取りにしようとして、鏝勝負をさせた。勝って跡取りとなりゃ、お豊ちゃんと所帯を持つことになる。おれは、八五郎がお豊ちゃんに惚れてると思ってた。だからおれは勝負の仕事で手を抜いた。八の野郎は、それが許せなかったんだよ」

為三郎は側にある縁台《えんだい》に腰を下ろした。

「あのとき、二人は二十歳の若造だ。八五郎が本当にお豊ちゃんに惚れていたかは、わからねえ。おれの思い込みかもしれねえからな。ただ、職人仲間から、後で小耳に挟んだ話によると、八五郎もおれと同じことを考えていたらしい」

「同じことって……」

「つまり、八の野郎も、おれが、その……、お豊ちゃんに惚れているると思ってたってことよ。だから、八の野郎は、鏝勝負に勝ってから、文蔵親方のところを出るつもりだったみてえだ。まあ、八の野郎とあんなことになっちまったから、本当のところは、わからねえけどな。もう、昔のことだ」

「為さんは、お豊ちゃんのことを……」

「さあな、もう忘れちまったよ」

為三郎は道具箱を担《かつ》ぐと、家の中に入っていった。八五郎の、お豊に対する気持ちはわからないままだ。

「そういえば……」

お里は独り言を呟《つぶや》いた。為三郎も、お豊も独り者で、一度も所帯を持ったことがない。

「もしかしたら、二人は……」

お里の心の中には、ある思いがよぎった。

おけら長屋の徳兵衛宅にいるのは、万造と松吉《まつきち》だ。

「お里さんが出ていってから、今日で四日目になる。お前たち、何も知らないのか」

二人は、顔を見合わせて、首を横に振る。

「どうでもいい噂話を仕入れてくるのは得意だが、肝心《かんじん》なことになると、まるで役に立たんな」

万造は薄笑いを浮かべる
「だってよ、夫婦喧嘩は犬も食わねえって言いますからね」

松吉も続ける。

「大家さんだって、筋が通ってねえや。いつもは、おれたちに『お前たちが首を突っ込むとロクなことがない』とか言ってるくせに、ちょいと困るとこれだもんなあ」

徳兵衛の唇《くちびる》は動くが、返す言葉が出てこない。

「この手のことは、おかみさんたちにまかせておきゃいいんですよ。今、お染さんたちが考えてますから」

徳兵衛は、指先を忙《せわ》しなく動かしている。心配で仕方ないのだ。

「八五郎さんは、どうしている」

「最初は、いつものことで、お里さんはすぐにけえってくるって、高をくっていたらしくてね。仕事もちゃんとしてたんですが、昨日からヤケ酒ってやつですよ。さっき覗《のぞ》いたら、酔っ払って倒れてました」

嬉しそうに話す万造の態度に、徳兵衛の苛立ちはつのる。

「お前たち、楽しんでるだろう。もし、このままお里さんが戻ってこなかったら、どう責任をとるつもりだ」

「そんな、ご無体な。おれたちは関係ねえでしょう」

「ま、まあ、それもそうだが……。ところで、お糸ちゃんはどうしてるんだ」

松吉は、徳兵衛の慌《あわ》てぶりがおかしくて堪らない。

「お糸ちゃんなら、お染さんのところで縫い物を習ってますよ」

「自分の母親が家出をして四日も経つというのに、縫い物だと……。一体、この長屋はどうなっているんだ。万造、何がおかしい」

「しつけえな、大家さんも。この手の揉《も》め事には、熟す時期ってもんがあるんですよ。男女のいざこざに、大家さんや鉄斎《てっさい》の旦那《だんな》の出番はねえってことです。みんな、ちゃんと心得てやってることですから。大家さんは、指をくわえて見てりゃいいんで」

徳兵衛は、またしても返す言葉が見つからず、唇を噛《か》み締めた。

翌日、二日酔いで痛む頭を叩いている八五郎のところに、文蔵の使いが来た。すぐに文蔵宅へと向かう八五郎。文蔵は、半纏を肩にかけ床《とこ》に座っていた。

「親方、でえじょうぶですかい」

「歳もかんげえずに、ちょいと張り切りすぎて、また腰をやっちまった。それより……、荒井町の仕事はご苦労だったな。さすがの出来だってんで、褒められたぜ」

「そりゃ、何よりで」

文蔵は腰を摩《さす》りながら、背を伸ばした。

「頼みついでで申し訳ねえが、今度は、蔵前《くらまえ》にある越前屋《えちぜんや》の金蔵《かねぐら》を塗り直す仕事だ。文七だけじゃ心許《こころもと》ねえ仕事だが、おれが手伝えばと思って、受けちまった。ところが、こんな有り様だ。八五郎、すまねえが、手を貸してやっちゃあもらえねえか」

「そりゃもう、あっしでお役に立つなら」

文蔵は「ありがとよ」と言って、視線を落とした。

歳をとったな、と八五郎は思った。自分が弟子入りしたころと比べて、ふた回りは小さくなったように見える。老いたのは身体だけではない。心の張りも緩《ゆる》んでくるはずだ。

「八五郎。風の噂じゃ、カカアが出ていっちまったそうじゃねえか」

八五郎は首筋に右手をあてる。

「へえ、お恥ずかしい話ですが、まあ、いつものこって」

「そうかい。ならいいんだけどよ」

文蔵は、また視線を落とした。

「おめえ、どう思う。為三郎とお豊のことだ」

　不意の展開に、八五郎は戸惑う。

「ど、どう思うって言われても……」

「おれは、悔やんでいる。お前たちに鏝勝負をさせたことをな。あれさえなけりゃ、いつ死んだって後悔することなんざ、ひとつもねえ。為三郎も、お豊もいい歳しやがって、未だに独り身だ。ありゃ、おれの所為だ。そうは思わねえか」

　文蔵の頰にひと筋の涙が流れた。恋女房が死んだときも、毅然《きぜん》と振る舞っていた男が、はじめて見せる涙だ。

「焦《あせ》ることはなかったんだ。男と女なんざ、ほったらかしときゃ、自然と成るように成るものを……。おそらく、お豊のやつは、為三郎を好いてたんじゃねえかと思う。もちろん後で気づいたことだがな。おめえが出ていって、しばらくして、為の野郎もおれのもとから出ていきやがった。その夜、お豊は隠れて泣いていた。おれは情けねえ父親だ。情けねえ親方だ。三人の関係を見事なまでに、ぶち壊しちまったんだからよ」

　文蔵は、再び腰に手をあてた。

「おお、いてえ。あまりの痛さに涙が出てくらあ。すまねえ、八五郎。今となっちゃあ、愚痴《ぐち》をこぼせる相手がおめえしかいねえもんでな。今の話は忘れてくれや」

八五郎は、大きく息を吸い込んだ。

「文蔵親方、あっしにまかせてください。あっしは親方の弟子なんですから」

考えなど何もない八五郎だったが、そう言うしかなかった。


万年長屋の、お節宅に居候《いそうろう》しているお里を訪ねてきたのは、おけら長屋に住むお染だ。家にいたお節は、気を利かせて湯屋《ゆや》に出かけた。

「説得に来たわけじゃないよ。ちょいと押上村《おしあげむら》に届け物があったからさ」

お染は、すました顔で、態《わざ》とらしいことを言う。届け物の帰りに、酒の入った徳利《とくり》を抱えているわけがない。押しつけがましいまねはしない、おけら長屋の流儀だ。

「明るいうちから呑むのも乙《おつ》だろ。茶碗でいいよ」

お染は、茶碗に酒を注《つ》いだ。久しぶりに見るお里は、だいぶやつれている。

「気になるかい、おけら長屋のことが。一番騒いでいるのは大家さんだね。あれでもさ、おけら長屋の長のつもりだからね。お里さんが帰ってくるかもしれないと思って、井戸のあたりをうろついてるよ」

お里は、茶碗を手にしたが、酒は舐めただけだった。

「へえー、大家さんがねえ。あたしは、万造さんと松吉さんが騒ぎをやらかすんじゃないかと心配してたんだけど」

お染は小さな声で笑った。

「あははは。ああ見えて、あの二人は大人だよ。大家さんより、よっぽど大人さ。騒ぐ壺《つぼ》っていうか、節っていうか、ちゃんと心得てるからね。騒ぐとさ、お里さんが帰りづらくなることを知ってるのさ」

「お糸は……」

「お糸ちゃんは、もっと大人だよ。普通に生活してる。いい娘《むすめ》に育てたねえ。お糸ちゃんは何も心配していない。八五郎さんと、お里さんを信じてるから。だから普通にしていられるのさ」

お里は、酒を少し呑むと、昔のことを話しだした。為三郎のこと、お豊のこと、そして八五郎に出会ったころのこと。お染は、茶碗に入れた酒を見つめながら、静かにお里の話を聞いていた。

「夢を見たんだよ」

「夢って、どんな……」

「おけら長屋で、朝ご飯を食べる三人の家族。亭主は八五郎。いつものように箸《はし》を握って飯を掻っ込んでた。娘はお糸。そんな八五郎を見て、眉をひそめてた。これもいつものことさ。いつもあたしが座る場所に、女房が座っている。もちろんあたしさ。でも、その女が振り向いたら……」

ここで一度、お里は言葉を切った。

「のっぺらぼうだった。目も鼻も口もなかったんだ。そこで目が覚めた。胸が締めつけられる思いがしたよ。あの女はだれだったんだろう。八五郎の女房は、あたしでなくてもよかったってことかしらね。馬鹿みたいな話だろ。笑いたかったら、笑ってもいいよ」

お染は、黙って話を聞いている。

「それから、昔のことを思い出すようになっちゃってさ。たわい無い八五郎の言葉が引っかかっちまって……、飛びだした」

お染は静かに茶碗を置いた。

「なんとなくわかるよ。どうしようもないからね、目に見えない不安てやつは。いい話を聞かせてもらった。お里さん、この件は、私にまかせてもらうよ」

お染は、茶碗の酒を一気に呑み干した。

八五郎が蔵前の仕事を終え、湯屋から戻ると、お糸が夕飯の支度をしている。八五郎は道具箱を置くと、天井《てんじょう》近くにある粗末な神棚《かみだな》に向かって、軽く手を叩いた。

「今日の湯屋は混んでやがったな。芋を洗うようだったぜ」

手拭いを肩から外《はず》す八五郎に、お糸が振り向く。

「おとっつぁん、ちょいとここに座って」

「何でえ、改まってよ」

「いいから、ここに座って」

怒っている口調ではない。静かだが、強い気持ちが伝わってくる歯切れのいい言葉だ。その口調に気圧《けお》された八五郎は、いつもの場所に腰を下ろした。お糸は、その正面に正座をする。

「お里のことか。おめえは余計なことに口を出すんじゃねえ」

お糸は、口に手をあてて笑いを堪えた。

「そう言うと思った。そんなんじゃないよ。この何日か、おとっつぁんと二人で暮らしてるよね。よく考えてみたら、あたし、おとっつぁんと二人でじっくり話したことないんだよね。せっかくおっかさんがいないんだから、おとっつぁんと話してみようかなって。お酒もつけてあるよ」

八五郎は不機嫌を装う。照れくさくて仕方ない。江戸っ子の男にとっては、もっとも苦手な場面だ。

「てめえの娘と話すことなんざ、何にもありゃしねえよ」

外方《そっぽ》を向く八五郎を見て、お糸は微笑《ほほえ》む。立場は完全に、お糸の方が上だ。お糸は八五郎愛用のぐい呑みに酒を注いだ。

「おとっつぁん、この前、あたしに、いつお嫁にいっても心配ないって言ったよね」

「ああ。そんなこと言ったかもしれねえなあ。お、おい、お糸。おめえ、まさか、好きな男でもできやがったのか。そうか……。まあ、かんげえてみりゃ、おめえも直《じき》に二十歳になる。惚れた男の一人や二人いたって、おかしかねえや。で、相手は、どこのどいつだ。ま、まさか、万造か松吉じゃねえだろうな。それだけは許さねえぞ。あんな野郎どもに、おめえをやるくれえなら、そのへんをうろついてる犬にでもくれてやった方が、まだマシでえ。お、おい。お糸、何を笑ってやがる」

「だって、あたし、何にも言ってないのに、おとっつぁんが勝手に喋《しゃべ》ってるから」

「えっ、そりゃ、まあ……、ちげえねえや。お糸の言う通りだ」

二人は大声で笑った。

「まだ、そんな人はいないけど、でも、いつ好きな人ができて、お嫁にいくかわからないよ。おとっつぁんとゆっくり話したことがないまま、お嫁にいくのは悲しいからね。ねえ、あたしも少し呑んでもいい。この前、おっかさんと二人のときに、少しだけ呑んだんだ。あたし、けっこう呑めるみたいだよ。おとっつぁんの子だからね」

「こいつぁ、驚いた。お糸が呑める歳になったとはなあ。ついこのめえまで、青っ洟《ぱな》たらしたガキだと思ってたのによ。呑むのはいいが、少しにしとけよ。おめえが目を回したら、おれが片付けなきゃならねえからな」

お糸は、酒を口に含むと「チッ」と舌《した》を鳴らした。

「おいおい、女のくせに行儀の悪いまねするんじゃねえよ」

「おとっつぁんの真似《まね》だよ。一度やってみたかったんだ。変な癖だね」

八五郎は、そんなお糸をしみじみと眺めている。

「おめえの亭主になる男は、どんな野郎なんだろうな」

「おとっつぁんは、どんな相手がいいと思う」

「お糸が心の底から好いた男なら、それでいいんだよ。万造と松吉だけは認めねえがな」

「まだ言ってる」

「お糸は、どんな男と一緒になりてえんだ。お店者《たなもの》か、それとも職人か」

「仕事なんか気にしないよ。お酒を呑んでもいい。遊んでもいい。でも、一本筋の通った人がいいなあ。おとっつぁんみたいに」

「おだてんじゃねえよ。お里を見てみろ。おとっつぁんみてえな男と一緒になって、苦労ばっかりじゃねえか」

苦笑《にがわら》いをする八五郎は、どこか寂しげだ。

「だが、これだけは言っておく。相手の男の中から、ひとつでいい、『この男は天晴《あっぱれ》だ』って思うところを見つけだせ。それさえありゃ、なんとかならあ。夫婦なんてそんなもんだ。とはいえ、お里は出ていっちまったんだから、おれの話にゃ、重みがねえな」

お糸は、その話を神妙に聞いている。

「うん。わかった。いい話だね。おとっつぁんの言葉、肝《きも》に銘《めい》じておくからね」

「おお、そうしろ」

「それじゃ聞くけど、おとっつぁんは、おっかさんのどこに惚れて一緒になったの」

「そりゃ、その、まあ、いろいろとよ……」

お糸は、酒を一気にあおった。

「何それ。あたしに偉《えら》そうなこと言ってさ、おとっつぁんは何にもなかったっていうの」

「おめえ、何を怒っていやがるんでえ。まさか、おめえ、絡《から》み酒じゃねえだろうな」

「はっきりしやがれ、八五郎。それでも江戸っ子か」

「なんだと。親に向かって八五郎とは、よくも抜かしやがったな。おーし、話してやろうじゃねえか。耳の穴かっぽじって、よーく聞きやがれ」

八五郎も、ぐい呑みの酒をあおった。

まだ、文蔵親方のところで修業の身だったころの話だ。

お里は、おれの兄弟子だった為三郎と同じ万年長屋に住んでたから、会えば挨拶《あいさつ》くれえはする仲だった。たいして器量もよくなかったが、気持ちのさっぱりした女でよ、ちょいと気にはなってたんだ。それはそれとして――。

修業は辛かった。文蔵親方って人は厳しかったからよ。毎日、殴られてたっけなあ。もちろん仕事は一生懸命やったさ。けど、その反動ってやつで、為と組んでな、十五のころから酒は呑むわ、喧嘩はするわで、まあ、派手にやってたんだが、女の方は奥手でな。為の野郎も、女に関しちゃ、てんでだらしのねえ男だったからな。

あれは、おれが十八のときだった。吾妻橋の上は、人でごった返していた。桜の時期だったから、上野《うえの》だ、向島《むこうじま》だって連中が大勢いたんだろ。浅草《あさくさ》の方から歩いて、橋を渡ったところで事件が起こった。

四つか五つくれえだったかな。町人の子供が、御手洗団子《みたらしだんご》を手に持って走り回ってたんだが、こいつが、酒に酔った若侍《わかざむらい》にぶつかった。若侍の袴《はかま》に醬油《しょうゆ》だれが、べっとりついちまってよ。怒った若侍が、無礼討《ぶれいう》ちだってんで、刀を抜きやがった。子供の親が土下座《どげざ》して謝るが、若侍の怒りは治まらねえ。野郎は野次馬《やじうま》が増えてきたんで、調子に乗りやがってよ、親の顔を蹴《け》り上げ、刀を振り上げた。おれも我慢の限界ってやつよ。相手は酔っている。後ろから背中に体当たりして、倒れた隙《すき》に親子を逃がす算段だ。

おれが足を踏み出したときに、人垣の中から、十七、八の娘が出てきた。よく見りゃ、お里じゃねえか。おれの足はびっくりして止まっちまった。お里は親子を抱き起こして後ろに下げると、若侍の前に立ちはだかり、見事な啖呵《たんか》を切りやがった。

「おうおう、お侍さんよう。いいかげんにしときな。年端《としは》もいかねえ子供に刀を抜くなんざ、ちいせえ野郎だぜ。そんなきたねえ袴なんざ、ちけえうちに雑巾《ぞうきん》だ。醤油がついただけありがてえと思え。どうせ、てめえなんざ、弱い者いじめしかできねえんだろう。おととい来やがれ。この盆暗《ぼんくら》野郎」

惚れ惚れするような口調だったぜ。小娘にそんな啖呵を切られちゃ、江戸っ子の野次馬連中も黙ってねえ。

「そうだそうだ。この抜け侍。とっととけえりやがれ」

「てめえは、女子供《おんなこども》しか相手にできねえのか、芋侍が」

頭に血が上った若侍は、お里に向かって刀を振り上げた。今度は本当に斬《き》られるかもしれねえ……。そう思ったとき、お里のやつは、女だてらに着物を尻端折《しりはしょ》りにしゃがって、その場に座り込んだ。

「斬ってもらおうじゃねえか。いてえのはきれえだからよ。一発でこの首、落としておくんなさいよ。さあ、どうする、どうする」

拍手喝采《かっさい》ってやつで、あちこちから声がかかる。

「よっ、おねえちゃん、日本一」

「骨は拾ってやらあ。回向院《えこういん》にでっけえ墓を建ててやるぜ」

若侍めがけて、石や雪駄《せった》まで飛んできてよ、奴《やっこ》さん、一目散《いちもくさん》に逃げちまった。親子がお里に手を合わせて礼を言うと、お里のやつ、人目もはばからず大声を上げて泣きだした。よっぽど怖かったんだろうよ。腰は抜けちまって立てねえし、小便まで漏《も》らしてやがった。わけえ娘が人前で小便だぜ。おれはそのときに思った。おれの女房になるのは、この女しかいねえってな。女の価値は、器量や料理の腕じゃねえ。ここ一番ってときに、肝が据わった女だ。おれは、お里に惚れた。

そう心に決めたものの、なかなか言う機会がねえ。色恋沙汰《いろこいざた》は苦手だからよ。そうこうしているうちに、為三郎と鏝勝負をすることになっちまった。勝った方が、文蔵親方の跡を継いで、一人娘のお豊ちゃんと所帯を持つことになる。おれは後悔したぜ。まだ二十歳で若かったが、早くお里と一緒になってりゃ、為三郎がお豊ちゃんと所帯を持ってすべてが丸く収まったのに、ってな。ところが、為三郎は、おれがお豊ちゃんに惚れてると勘違いしやがって、鏝勝負で手を抜きやがった。それで為三郎と大喧嘩になっちまって、それっきりだ……。

こうなりゃ、色恋が苦手とか、ほざいてる場合じゃねえ。またこんなことになるといけねえ。おれは、お里のところに走った。それで、いきなり、おれの女房になってくれと言ったんだ。

お糸は、まるで子供が御伽噺《おとぎばなし》でも聞くように、うっとりしていた。

「どうでえ、おれの色恋話は。ちょいとしたもんだろ」

「みんなの歯車が、少しずつ食い違ってたんだね」

「ああ、そうかもしれねえなあ……」

「おっかさんは、その話のこと、知ってるの」

「知るわけねえだろ。お糸、おめえ、だれにも喋るんじゃねえぞ」

「駄目だなあ、おとっつぁんは。その話を聞いたら、おっかさんは喜ぶと思うよ」

「馬鹿野郎。こんなことは口に出して言うもんじゃねえ。言われなくたって、何となくわかってるのが夫婦ってもんなんでえ」

お糸は大きな溜息をつく。

「勝手だよ、おとっつぁんは。女はね、口に出して言ってもらいたいときがあるんだよ。堪らなく不安になるときがあるんだよ」

「いっぱしの女みてえなこと言いやがって」

「でもよかった。おとっつぁんの話が聞けて」

ここで、お糸は引き戸の方を向く。

「そういうことなんだってさ、おっかさん」

引き戸が静かに開いた。

「お、お里。おめえ、聞いてやがったのか」

お里は、涙を拭いながら、何事もなかったように入ってくる。

「ちょいと買い物に行ったら、店が混んでてね。すっかり遅くなっちまったよ」

八五郎は鼻から息を吐く。

「ずいぶんとなげえ買い物じゃねえか。どこまで行ってやがった」

「仕方ないだろ。二十年も前まで行ってたんだから。でもおかげで、掘り出し物が見つかったよ。お前さん、ありがとう」

お糸が、お里の膳を運んでくる。

「さあ、おっかさんの夕飯も用意してあるよ。三人で食べよう」

外で胸を撫《な》で下ろすお染。井戸の方を見ると、万松の二人が心配そうに立っている。お染は両手を挙げて、頭の上で大きな輪を作った。

一件落着かと思いきや、八五郎の家では、まだ続きがあった。上機嫌で飯を食っていた八五郎の様子がおかしい。箸を置き、腕を組んで考え込む。

「二十年前に行ってたか……」

「おとっつぁん、どうかしたの」

「それだ」

八五郎の大声に驚いて飛び上がる、お里とお糸。

「お里、おめえとは離縁する。すぐ、万年長屋にけえれ。訳《わけ》は後で話す。ちょいと文蔵親方のところへ行ってくるぜ」

八五郎は、残った飯を搔っ込むと、箸を持ったまま家を飛び出していった。


文蔵の家を訪ねる為三郎。突然の呼び出しがあったのだ。座敷に入ると、文蔵の前には八五郎が座っている。いつもなら「なんでえ、まだ生きていやがったのか」などと悪態《あくたい》をつくところだが、文蔵の前ではそうもいかない。

「為よ、おめえも八の隣に座んな。懐かしいな。こうやって三人揃《そろ》うのは二十二年ぶりだ」

文蔵は熱い茶を啜った。

「おれも歳だ。そう長くは生きちゃいられねえだろ。だが、このままじゃ死ねねえ。おめえたちの勝負の決着がついてねえからな」

部屋の中に緊張感が走る。

「為よ。八はもう一度、おめえと鏝勝負をやってもいいそうだ」

八五郎を見ると、静かに目を閉じていた。いつものように突っかかってくる気配《けはい》はない。

「ですが親方、あのときは跡目を決める鏝勝負だったが、今は文七さんが立派に跡を継いでるじゃありませんか。何のために八五郎と勝負しなきゃならねえんですかい。今さら、こんな野郎と勝負するなんざ、胸糞《むなくそ》わりいや」

為三郎はプイと横を向いた。文蔵は続ける。

「あの勝負は跡目だけじゃなかった。跡目となりゃ、お豊と所帯を持つことになってたんだ。二人揃って、お豊に恥をかかせやがって。八五郎は、お豊に惚れてたが、おめえに手を抜かれたのが許せなくて、おれのところを出ていった。だが、まだ、お豊のことが忘れられねえ。そうだな、八五郎」

八五郎は目を閉じたまま「へい」と返事をした。

「八五郎は、お里と離縁するそうだ。その上で、たとえお豊に断られることになっても、所帯を持ちてえと正面からぶつかるそうだ。だがよ、二十二年前のことが気になって、それができねえ。為三郎との勝負に勝ってからにしてえってこった」

為三郎の手が怒りで震えだした。

「お里ちゃんが万年長屋にいるから変だとは思ってたが、そんなことになってやがったのか。おう、八五郎。てめえはそんな男だったのかよ。情けなくて涙が出てくらあ。お里ちゃんの気持ちを考えたことがあるのか。それで今度は、お豊ちゃんだと。ふざけるねえ。そんな身勝手な野郎に、お豊ちゃんを渡すわけにはいかねえ。親方、この勝負、受けさせてもらいますぜ」

文蔵は手を打った。

「よし、決まった。先日、吉元様から、二十二年前の部屋を塗り直してほしいという話があった。これも、おめえたちの宿命だろう。あんときと、まったく同じ条件だ。勝ち負けは、おれが決める。結果に遺恨《いこん》を残すな。いいな。二十年の間に磨いた腕を見せてみろ」

勝負がはじまる朝、為三郎は、褌《ふんどし》一丁で何度も水を浴びた。八五郎への怒りや、お豊に対する想いが、鏝に出てしまったら勝負に負ける。そう思って心の中にある邪念を流し続けた。

そして五日が過ぎた。仕事を終えた為三郎の心は晴れ渡り、一点の曇《くも》りもなかった。たとえ負けても遺恨は残さない。それを越える充実感があったからだ。八五郎がどんな仕事をしたのかも、まったく気にならなかった。

文蔵が、二人の仕事を見に行く。為三郎と八五郎は庭で待った。しばらくして戻った文蔵は二人の前に立った。

「為三郎、この勝負、おめえの勝ちだ。見事だ。心に邪念のねえ仕事だ。ついにおれを凌《しの》ぎやがったな。八五郎、おめえもいい仕事をしたが、負けは負けだ。お豊のことは諦めろ。いいな」

八五郎は「へい」と返事をして頭を下げた。

為三郎は、違和感を覚えた。あまりにも、すっきりしすぎている。為三郎は、八五郎が仕事をした部屋へと走った。壁を見て呆然と立ち尽くす。二十二年前のままで、仕事は何もされていなかった。

引き返すと、そこにはお里も来ている。

「八五郎。てめえ、こりゃどういうことでえ」

この数日間、悪態をつくどころか、笑いさえしなかった八五郎が、にやけた顔をしている。

「へへ。これで、おあいこじゃねえか。てめえに文句は言わせねえぜ。ざまあみやがれ」

横から、お里が追い討ちをかける。

「為さん、何にもわかっちゃいないね。この人があたしを捨てて、他の女のところになんかいくわけないだろ。あたしに心底《しんそこ》惚れてんだから」

「この野郎、調子に乗るんじゃねえぞ。半分は当たってるけどよ」

ここで真顔になった八五郎は、いきなり為三郎の前で両手をついた。

「為三郎、今朝《けさ》早く、おめえの仕事を見させてもらった。あれこそ名人の仕事だ。今のおれじゃ、どうあがいたって、おめえには勝てねえ。おれは負けを認める。だから……、だから、お豊ちゃんを幸せにしてやってくれ。頼む」

文蔵は八五郎に近寄って、丸くなった背中に優しく手を置いた。

「すまねえ、為三郎。騙《だま》すつもりじゃなかったんだ。おれも歳をとった。このめえ、つい弱気になって、八五郎にこぼしちまった。おめえと八五郎のこと、おめえとお豊のこと……。気がかりで、死ぬに死ねねえってな。八の野郎が、ねえ頭で考えたことだ。許してやっちゃもらえねえか。今のおめえの澄んだ心なら、八五郎の気持ちがわかるはずだ。お豊のこと、よろしく頼むぜ」

為三郎も八五郎の背中に手を置いた。

「八五郎、顔を上げてくれ」

顔を上げた八五郎の頰には涙が伝っている。為三郎は、その頰に拳骨を見舞った。

「い、いてえ、何をしやがる」

「へへ。これで、本当のおあいこだ。てめえに文句は言わせねえぜ。ざまあみやがれ」

「何だと、この野郎」

二人の取っ組み合いがはじまった。お里は呆《あき》れ顔で――。

「文蔵親方、この二人は喧嘩してるのが、一番似合ってますね」

「ああ、どうしようもねえ馬鹿どもだ。楽しそうに喧嘩してやがる」

その夜、八五郎と為三郎は、二十二年ぶりに酒を酌《く》み交わした。熱い酒が、二人の腹の中で凍りついていた想いを、少しずつ解かしていく。

「為よ、『相老《あいお》い』って知ってるか」

「さあ、聞いたことねえなあ……」

「夫婦が、共に手をとって長生きすることらしいや。『相老い』……。何だか、いい響きじゃねえか」

「おい、八五郎。大丈夫か。おれに殴られて、頭がおかしくなったんじゃねえのか」

為三郎の頭には、お豊の顔が浮かんだ。八五郎はまだ悦《えつ》に入《い》っている。為三郎は、そんな八五郎が羨ましかった。

本所おけら長屋（二）　その六

つじぎり

仕事が終わり、湯屋《ゆや》の帰りに居酒屋で一杯ひっかける。おけら長屋《ながや》に住む、米屋の万造《まんぞう》と、酒屋の松吉《まつきち》にとっては、ごく日常的な行動だ。万造は箸《はし》を刀に見立てて、正眼《せいがん》の構えをとる。

「おれも、島田《しまだ》の旦那《だんな》に剣術を習おうかな。こう物騒な世の中になったんじゃ、てめえの身は、てめえで守らなきゃなるめえ」

松吉は鼻先で笑う。

「剣術を習ったって、おれたち町人が刀を持って歩くなんざ、できゃしねえ。盗《と》られるものは何もねえし、襲われでもしたら、逃げるしかねえんだよ」

万造は箸を振り回している。

「あれは、追《お》い剝《は》ぎじゃねえ。辻斬《つじぎ》りだ。金の有る無しなんて関係ねえ。人を斬って喜ぶ、狂った野郎だ」

本所界隈《ほんじょかいわい》では、この一か月で、二件の辻斬り事件が発生していた。犠牲になったのは、酔っ払った職人と、年増《としま》の夜鷹《よたか》。時刻は戌《いぬ》の刻《こく》（午後八時）から、亥《い》の刻（午後十時）にかけてで、二人とも背後から袈裟《けさ》斬りで一太刀《ひとたち》にされ、絶命している。下手人《げしゅにん》の目撃者もなく、手掛かりは何もない。

万造は、箸で松吉を斬りつける真似《まね》をしながら――。

「おめえ、もし辻斬りに出くわしたらどうする」

松吉は、その箸を手の甲で払う。

「やめろ。うっとうしいからよ。どうするって逃げるしかあるめえ。それに二人とも背中からバッサリやられてるってえじゃねえか。どうしようもねえだろ」

万造は、箸を置いて、今度は味噌田楽《みそでんがく》の串を手にした。

「情けねえ野郎だ。おれならこうする。背後から辻斬りが近づいてくる。刀を抜く気配《けはい》を感じた瞬間、前方に二回ほど宙返《ちゅうがえ》り。刀が空《くう》を斬った下手人は、体勢を崩す。懐《ふところ》から手裏剣《しゅりけん》を取り出した万造さんは、それをピュッピュッと投げる。手裏剣は、相手の右手首に向かって一直線だ。手首に手裏剣が刺さった下手人は、苦痛の表情を浮かべて、刀を落とす。その刀を素早く拾って、切先《きっさき》を下手人の鼻先に突き付ける万造さんだ。土下座《どげざ》をして命乞《いのちご》いをする下手人。

『どうか、命だけはお助けください』

そこで万造さんはこう言うね。

『おれという男に出会ったのが、お前さんの不運。諦《あきら》めておくんなせえ』

そこに通りかかったのが、歳《とし》は二十七《にじゅうしち》、八《ぱち》、小股《こまた》が切れ上がった乙《おつ》な女よ。

『あらまあ、イナセなおにいさんだこと。ちょいと一杯、あたしに奢《おご》らせておくれよ』

たまんねえなあ……」

ここで万造は、酒で喉《のど》を湿らせる。

「駆けつけてきた奉行所《ぶぎょうしょ》の同心《どうしん》に下手人を引き渡すと、そこに残ったのは、万造さんと乙な女の二人だけ。またこの女が意味深《いみしん》なことを言うね。

『おにいさん、今日の夜は帰らなくてもいいんだろ』

だが、ここで乗っちまうと軽い男と思われる。

『こんな物騒な世の中でございます。とりあえず、お宅までお送りいたしやしょう』

するとその女がおれの二の腕を思い切りつねるね。

『まあ、女のあたしに恥をかかせる気かい。意地の悪いおにいさんだねえ』

その二の腕が、いてえのいたくねえのって……。お、おい、松吉。てめえ、寝てんのか」

松吉は、面倒臭《くさ》そうに瞼《まぶた》を擦《こす》る。

「えっ、もう終わったのか。まだしばらくは続くんじゃねえかと思って、ちょいと休ましてもらった」

万造は気が抜けたように、肩を落とすと、酒をチビリと呑《の》んだ。

何やら表が騒がしい。男の大声や、走る足音が聞こえる。表に出ると、北森下町《きたもりしたちょう》の方から、男が走ってきた。万松の二人とも顔馴染《かおなじ》みの大工の寅吉《とらきち》だ。

「おお、万造と松吉じゃねえか。六間堀町《ろっけんぼりちょう》で辻斬りだ。やられたのは、おめえたちの長屋の佐平《さへい》さんだ」

万松の二人は、同時に寅吉の首を絞める。

「な、なんだと。もういっぺん言ってみやがれ」

「く、苦しいよ。だから、六間堀町で辻斬りだよ。斬られたのは、おけら長屋の、たが屋の佐平さんだ」

万造と松吉は顔を見合わせた。万松の二人が呑んでいる松井町《まついちょう》の居酒屋は、亀沢町《かめざわちょう》にあるおけら長屋と六間堀町のちょうど真ん中にある。

「そ、それで佐平さんは、生きてるのか、死んでるのか」

寅吉は、大きく首を振った。

「わからねえ。大工町《だいくまち》の聖庵《せいあん》先生のところに担《かつ》ぎ込まれた」

「よしわかった。おれは聖庵先生のところへ行く。松ちゃんは、おけら長屋に走って、みんなに知らせろ。それから、寅吉。おめえはこの店の呑み代を払っておけ」

万松の二人は、反対の方向へ走りだす。居酒屋の店主が、呆然《ぼうぜん》と立ち尽くす寅吉の肩を、そっと叩《たた》いた。

大工町にある、聖庵堂に駆けつけてきたのは、佐平の女房、お咲《さき》。大家《おおや》の徳兵《とくべ》衛《え》。八五郎《はちごろう》と島田鉄斎《てっさい》。そして息も絶え絶えの松吉だ。

聖庵堂の前で、みんなを迎えた万造は、まずは落ち着くように促《うなが》した。八五郎あたりが大声で騒ぐのを見越してのことだ。

「お咲さん、佐平さんは死んじゃいねえ。今、聖庵先生が、懸命に手当てをしてくれてる。聖庵先生を信じて待つしかねえ。信じて待つしかねえんだよ」

昼間は患者の待合《まちあい》となる部屋に入った一同に会話はない。室内には重い空気と時間だけが流れている。男たちは一様に貧乏揺すりをしたり、落ち着きがないが、お咲は静かに目を閉じていた。

一刻《いっとき》(二時間)ほどすると、聖庵が出てくる。一同が聖庵の言葉を待った。

「できる限りのことはやった。致命となる傷ではなかったが、出血がのう……。今晩が山じゃ。あとは佐平さんがどれだけ頑張れるかじゃのう」

助手と思われる女が、お咲を病室に連れていった。

島田鉄斎が、聖庵に尋ねる。

「やはり、背中を袈裟斬りにされているのでしょうか」

聖庵は「うん」と小さく頷《うなず》いてから――。

「運の強い男じゃ、佐平さんは。ここに担ぎ込まれたときには、まだ意識もあってな。奴《やっこ》さん、深川《ふかがわ》あたりで一杯ひっかけて、千鳥足《ちどりあし》で歩いていたようじゃ。左の肩に縄をかけた五合徳利《とくり》を背負っていたが、それを右の肩に移しかえた。そのとき、背中に衝撃が走ったという。徳利は粉々になって割れた。つまり、こういうことじゃ。辻斬りが刀を振り下ろす一瞬に、佐平さんは徳利を右の肩に移した。刀は徳利を割ってから、佐平さんを斬った。もし徳利がなかったら、佐平さんは間違いなく命を落としただろうよ」

「目撃した者はおりませんでしたか」

聖庵は疲れ果てているとみえ、その場に座り込んだ。

「佐平さんが斬られたとき、二八蕎麦《そば》屋が角を曲がってきた。蕎麦屋が大声を出したので、佐平さんは、止《とど》めを刺されずに済んだ。蕎麦屋は逃げる男の後ろ姿しか見ていない。大柄な男だったそうだ。黒い着物と頭巾《ずきん》を被《かぶ》っていたようだが、詳しいことは奉行所で聞いてくれ。蕎麦屋も奉行所に行っているはずだ。さてと、ちと疲れた。少し休ませてもらう」

聖庵が奥に消えた後、徳兵衛が立ち上がった。

「ここに雁首《がんくび》を揃《そろ》えていても仕方ない。お咲さんと私が残ろう。みんなは一度、長屋に戻ってほしい。それから、八五郎さん、万造に松吉、いきり立つお前さんたちの気持ちはわかる。だが今は、そんなときじゃない。今は、みんなで佐平さんが助かるように祈ろう。島田さん、みんなをお願いします」

おけら長屋は、長い夜を迎えた。井戸の横にある稲荷《いなり》の前には、女たちが集まっている。吉報が届くまで、手を合わせ祈り続けるというのだ。男たちは、それぞれの家で静かに目を閉じる。万造と松吉は、手持ちの銭すべてを、回向院《えこういん》の賽銭箱《さいせんばこ》に叩き込んだ。

朝が早い魚屋の辰次《たつじ》が、仕入れ前に聖庵堂の様子を見てくるという。それを聞いて、井戸の前には、おけら長屋の住人たちが一人二人と集まってくる。女たちはまだ稲荷の前で手を合わせていた。次第に東の空に赤みが差してくる。

「ホイサ、ホイサ、ホイサ」

天秤棒《てんびんぼう》を担いで走る、辰次特有の掛け声が聞こえてきた。その声は軽やかだ。辰次は井戸の前に着くと、天秤棒を肩から外《はず》して息を整えた。八五郎が一歩前に出る。

「おう、魚辰《うおたつ》。事と次第によっちゃあ、許さねえ。覚悟はできてんだろうな」

辰次は、一同の顔を見回して——。

「今日は、でっけえ鯛《たい》を仕入れてきます。佐平さんは、もう大丈夫だってことです」

八五郎は、その場にへたり込んだ。

「そうか。佐平の野郎、助かりやがったか」

　女たちは、抱き合って泣いた。

「でも、まだ安心はできねえって。峠《とうげ》を越えただけだから勘違いするなって、聖庵先生が言ってました」

「うるせえ。箱根《はこね》の山だって、佐平だって、峠を越えちめえば、しんぺえねえ。しんぺえねえんだよ。べらぼーめ」

　鉄斎が笑いながら、辰次の天秤棒を指差した。

「ところで、魚辰さん、何も入っていない天秤棒を担いでいたのか」

「へえ……。実は、あっし、これを担いでいた方が速く走れるんで……」

　辰次が恥ずかしそうに後頭部を掻《か》くと、みんなが笑った。そんな中、万造と松吉の表情が強張《こわば》っている。それに気づいた鉄斎が――。

「どうした、万松のお二人さん。佐平さんが助かったんだぞ」

「冗談じゃねえ」

　万造の口から出た言葉に、みんなが耳を疑った。万造は同じ言葉を繰り返す。

「冗談じゃねえ。なあ、松吉」

　松吉も、青い顔をして頷く。

「おれたち、ありったけの銭を、回向院の賽銭箱に放り込んじまった。こんなことになるなら、半分にしておけばよかった。ど、どうしてくれるんでえ……」

半泣きになる二人を見て、おけら長屋の住人たちは笑い転《ころ》げた。


その日の夜に、佐平は意識をとり戻した。容態《ようだい》も安定している。報告を受けたとき、島田鉄斎は大家の徳兵衛宅で茶を飲んでいた。

「一時は、どうなることかと思いましたが……」

徳兵衛は、疲労困憊《こんぱい》しているようだ。

「お咲さんは、聖庵堂に詰めたままなのですか」

「ええ。お里さんや、お染さんたちが、交互に食事や着替えを運んでいます。少し休んだ方がいいと言ったところで、聞きはしないでしょう。こんなとき、男ってやつは何の役にも立ちませんな。おかみさん連中にまかせておくのが、最善でしょう。それより――」

徳兵衛は、言葉を止めて茶を啜《すす》った。鉄斎は、徳兵衛が考えていることを読んで――。

「八五郎さんと万松のことですな」

徳兵衛は、大きく頷く。

「あの連中が大人しくしているはずがありません。やめた方がいいと言ったところで、聞きはしないでしょう。ですが、今度のことは命にかかわることです。遠くからでよいのです。島田さんが見守っていてくれれば、私も安心です。お願いできますでしょうか」

「わかりました」

鉄斎は、真《ま》っ直《す》ぐに背筋を伸ばした。


徳兵衛と鉄斎が予想した通り、八五郎、万造、松吉の三人は、松井町の居酒屋に集まっていた。

「佐平の具合はどうだ」

八五郎は、仕事場から居酒屋に来たので、詳しいことを知らない。万造は、八五郎の猪口《ちょこ》に酒を注《つ》ぐ。

「聖庵堂から戻ったお染さんの話だと、意識もはっきりしていて、お咲さんとも少し喋《しゃべ》ったとか。ただ、傷はかなり痛むようです。聖庵先生によると、傷が膿《う》まなければ、まず大丈夫だってこってす」

松吉は、好物のメザシを齧《かじ》っている。

「しかし、佐平さんも、とんだ災難でしたね」

「だがよ、徳利で助かったとは笑えるじゃねえか。これから佐平の家の神棚《かみだな》には、徳利が供えられるだろうよ。徳利の神様だ」

八五郎はひと笑いすると、真顔になった。

「ところで、おめえたち。おれの言いたいことは、わかってるな」

万松の二人は、顔を見合わせてから——。

「あたぼうよ。佐平さんの敵討《かたきうち》でしょ」

「辻斬りの野郎を、とっ捕《つか》まえてやらあ」

八五郎は居酒屋の卓を手の平《ひら》で叩いた。

「おおよ。佐平がやられて、黙っているわけにゃいかねえ。このままじゃ、おけら長屋は江戸中の笑いもんだ。だが、どうすりゃいいのか、おれにはわからねえ。そういう手段を考えさせたら、おめえたち二人の右に出る者はいねえ。何か考えはあるか」

松吉は、齧ったメザシを皿《さら》に戻した。

「今までに起こった辻斬りを復習ってみましょうや。まず、一か月ほど前に職人が斬られたのが、富川町《とみかわちょう》。半月前に夜鷹がやられたのが、三間町《さんげんちょう》。そして、佐平さんが斬られたのが、六間堀町。いずれも竪川《たてかわ》の南側、大川《おおかわ》と大横川《おおよこがわ》の間で起こってる」

万造は箸の先に酒をつけて、卓の上に簡単な地図を描いている。

「考えてみりゃ、こんなにせめえ範囲じゃねえか」

「刻限もほぼ同じでさあ。戌の刻から亥の刻にかけてです。つまり、今、わかってることは三つ。限られた場所と刻限。一か月ほど前から、だいたい十日間に一人……」

八五郎はポンと手を叩いた。

「なるほど……。つまり、十日近く経ったころ、竪川の南側で、戌の刻から亥の刻あたりに辻斬りが現れるってことか。だがよ、そんなことは奉行所だって承知之助だろうよ。奉行所のやつらに先を越されちゃならねえ。何か妙案はねえのか」

万造が不気味な笑い声を洩《も》らす。

「ふっふっふ。ただ見張ってたってラチが明かねえ。斬るところをとっ捕まえねえと、辻斬りだという証拠にはならねえ。ふっふっふ」

気の短い八五郎は苛《いら》つく。

「気持ちの悪い笑い方をするんじゃねえ。早く話しやがれ」

「囮《おとり》を使うんですよ。その囮に、必ず辻斬りは食いついてくる」

「馬鹿《ばか》野郎、一歩まちげえれば、命はねえんだぞ。そいつが死んじまったら、どうやって責任をとるつもりだ。だいいち、囮の役をやるやつなんざ、いるわけがねえ」

「いるでしょう。おけら長屋に、またとねえ野郎が……」

「おけら長屋に……。だれでえ」

「八百金《やおきん》でさあ」

おけら長屋に住む、八百屋《やおや》の金太《きんた》は名代《なだい》の馬鹿で、「馬鹿金」「与太金《よたきん》」「抜け金」などと、呼び名は無数にある。二十二歳の独り身《ひとりみ》で、身寄りもない。松吉が続ける。

「金太が、酒も呑《の》んでいねえのに、吾妻橋《あずまばし》から落ちたのは有名な話だ。てっきり土左衛門《どざえもん》になったかと思いきや、三日後にのこのこけえってきやがった。風に飛ばされた瓦《かわら》が頭に当たったときも、瓦が割れて、野郎はなんともねえ。何より瓦が当たったことに気がつきもしなかったってんだから、馬鹿は恐ろしい。金太の野郎は不死身ですぜ」

八五郎は、盃《さかずき》の酒を一気に呑み干した。

「おめえたち、本気で言ってるのか」

万松の二人は、うろたえる。

「いや、まあ、その……、ちょいとした洒落《しゃれ》で……」

「よし。それでいこうじゃねえか」

「えっ……」

「金太には、何と言って夜の道を歩かせるんだ」

万松の二人は、たじろいだ。

「ほ、ほんとにやるんですか」

「おめえたちが言いだしたんじゃねえか。だから、金太には何て言うんだ」

松吉は食べかけのメザシを手に取った。

「そんなの簡単でさあ。三間町の伊予橋《いよばし》あたりに乙な夜鷹がいるとでも言やあ、ひょこひょこ出かけていきますって」

「金太の野郎は辻斬りが怖くねえのか」

「えっ、八五郎さん、知らねえんですかい。金太は、一日前のことは何も覚えていねえって。十日前の辻斬りのことなんざ、頭の片隅《かたすみ》にもありませんや」


十日後の夜、金太は一人で王間堀《おうげんぼり》から伊予橋方面に向かって歩いていた。万松の二人から伊予橋の脇に乙な夜鷹がいると聞かされて、あたりをうろつき、今日で三日目になる。

「金太、背中に鍋を背負《しょ》ってから半纏《はんてん》を着ろ」

「な、なんで、鍋なんかを背中に背負うんだ」

「ちょいとした流行《はやり》でな。京や大坂《おおざか》じゃ、色男はみんな、鍋を背負って歩いてるらしい。おめえもやってみな」

「そうか……。じゃあ、おいらもやる」

前を歩く金太の背中は亀の甲羅《こうら》のようだ。八五郎は、万造に尋ねる。

「ありゃ、どう見てもおかしかねえか」

「仕方ねえでしょう。辻斬りは背後から袈裟斬りにするってんですから。鎧兜《よろいかぶと》ってわけにもいかねえし。それより、金太から目を離さないでくださいよ。真っ暗だから、すぐに見失っちまう」

八五郎は手に木刀、万造は白粉《おしろい》を入れた袋、松吉は唐辛子の粉を入れた袋を持っている。御手玉のようにして、お染に縫ってもらったのだ。町人に帯刀《たいとう》は許されていない。辻斬りに出くわしたとしても、まともに戦うことは不可能だ。松吉は、相手の顔を狙《ねら》って唐辛子の粉を投げつける。目を開けることはできまい。万造の白粉は、逃げた人物を特定するため。首尾よく八五郎が木刀で打ち据《す》えることができれば、しめたものだ。

かなり前を歩く金太の後ろに人影が見えた。角を曲がって出てきたのだろう。目を凝《こ》らすと、黒い羽織《はおり》姿の侍《さむらい》のようで、腰には刀を差している。

「お、おい。八五郎さん、あれは……」

侍は金太との距離を次第に詰めていく。

「まちげえねえ。辻斬りだ。よし、三方に分かれろ。刀が届くところまで近づくんじゃねえぞ。松吉、離れたところから、顔をめがけて唐辛子を投げるんだ。行くぜ」

万造と松吉は、脇の路地に入り、金太の向こう側に出て、挟み撃ちにする作戦だ。

辻斬りは、金太の二間《けん》（約三・六メートル）ほど後ろまで接近していた。

「金太、そのまま走って逃げろ」

八五郎の大声に、金太は足を止める。

「馬鹿野郎、早く逃げるんだ」

今度は、万造が叫ぶ。金太は何が起こったのか理解できず、右往左往するだけだ。松吉は素早く金太に近づくと、半纏を引っ張り、尻《しり》を蹴《け》り上げた。

「早く逃げねえか、この与太金」

八五郎、万造、松吉の三人は、二間ほど離れて、辻斬りを取り囲んだ。

「やい、やい、やい。ここで遭《あ》ったが百年目でえ。辻斬り野郎、覚悟しやがれ。佐平の敵はとらせてもらうぜ」

その男は、腰から十手《じって》を抜いた。

「おまえたちは何者だ。拙者《せっしゃ》は南町《みなみまち》奉行所同心《どうしん》、伊勢平五郎《いせへいごろう》である」

興奮している八五郎は、人の話などまるで聞いていない。

「おい、松吉。早く、唐辛子を投げろ」

「で、でも十手を持ってるじゃねえか。同心とか言ってるぜ」

「同心ってなんでえ」

「だから、奉行所の役人ってこってしょう」

「な、なんだと……」

同心は十手を、チラつかせたまま――。

「辻斬りを警戒して見回っているところに怪《あや》しい者が……。そこの男だ」

同心は十手で金太を差し、近寄っていく。

「その背中は何だ。何が入っている。盗んだものではあるまいな」

金太は笑っている。緊張感がまったくない。

「鍋だ」

「鍋だと。半纏を脱いで見せてみろ」

「知らねえのか。京や大坂じゃ流行《はや》ってんだぞ。鍋を背負って乙な夜鷹に会いに行くんだ」

同心は、どう対処してよいかわからず、八五郎を見た。

「ところで、お前たちは何をしている。拙者を辻斬りと間違えたようだな」

八五郎は構えていた木刀を背中に隠した。

「いや、その、これにはいろいろと事情がありやして……、なあ」

振られた万松は、同時に外方《そっぽ》を向いた。

「町人の分際で捕物《とりもの》ごっこか。おまえたちのやっていることがどれだけ危険なことか、わかっているのか……」

そのとき、東の方から叫び声が聞こえた。

「てえへんだ、てえへんだ」

見ると、大工の寅吉が走ってくる。

「まずい。呑み代を払わせたままだ。逃げろ」

万造と松吉は逃げようとするが、訳《わけ》を知らない八五郎に襟首《えりくび》をつかまれる。

「おお、万造と松吉じゃねえか。おめえたちは、捜してるときには必ずいやがるな。おけら長屋に知らせに行くところだったんでえ。菊川《きくかわ》町二丁目で辻斬りがあってよ。はあはあ……」

寅吉は息を整える。伊勢平五郎は殺気《さっき》立った。

「な、なんだと……」

「げ、下手人は、お、おけら長屋の島田鉄斎さんだ」

今度は、おけら長屋の三人が殺気立つ。

「な、なんだと……。もういっぺん言ってみろ」

「だからよ、大横川沿いの菊川町二丁目で、辻斬りがあってよ。やったのは、おけら長屋の島田鉄斎さんだ。斬るところを見た者もいる」

「そ、それで、島田の旦那はどうなったんでえ」

「駆けつけてきた、奉行所の同心に、お縄にされて連れていかれた。とにかく、おけら長屋のみんなに知らせなきゃならねえと思ってよ」

伊勢平五郎は、奉行所に向かって走りだした。八五郎、万造、松吉は、おけら長屋に向かって走りだす。

「おーい。おれが立て替えた呑み代は、どうなったんでえ」

万松は走りを加速させた。


大家の徳兵衛宅に、おけら長屋の住人たちが集まってくる。

「えらいことになった。佐平さんの容態が落ち着いたと思ったら、今度は、島田さんが辻斬りとは」

徳兵衛の発した言葉に、八五郎が嚙《か》みつく。

「島田の旦那が、辻斬りなんざ、やるわけねえだろ」

「そんなことは、わかっている。私は現実の話をしているんだ。島田さんが斬ったところを見た者がいて、島田さんが奉行所に連れていかれた……」

「江戸の夜は真っ暗だ。見まちげえってこともある。それに、辻斬りなんぞに出くわしたら、動転しちまうだろ」

万造の意見に、珍しくみんなが同調する。

「だいたい、島田さんは、なんだって菊川町二丁目なんかにいたんだ」

「わからねえが、菊川町二丁目といやあ、誠剣塾《せいけんじゅく》と目と鼻の先だ。道場のけえりだったのかもしれねえ……」

座敷《ざしき》には重苦しい空気が充満している。

「まずい。これはまずいぞ」

言葉を発したのは隠居の与兵衛《よへえ》だ。

「奉行所なんてものは、下手人を作ってしまうところじゃ」

松吉が「そりゃ、どういう意味で」と尋ねる。

「奉行所にとって大切なのは、だれが下手人かじゃない。下手人にして捕まえることだ。南町奉行所は、北町《きたまち》に月番《つきばん》が替わる前に、何としても辻斬りをお縄にしたいと躍起《やっき》になっているはずじゃ。長屋で一人暮らしの浪人《ろうにん》なんていうのは御誂《おあつら》え向きの下手人じゃないか」

八五郎が拳《こぶし》で畳《たたみ》を叩いた。

「このままだと、島田の旦那が辻斬りにされちまうってことか。冗談じゃねえ。今まで、島田の旦那にぁ、どれだけ世話になったことか。ここにいるみんなだって、そうじゃねえのか。何としても島田の旦那を助けなきゃならねえ。こうなったら仕方ねえ。おれが囮になる。斬られて死んでもかまわねえ。おれが本物の辻斬りに斬られて死にゃ、島田の旦那が下手人じゃねえって証《あかし》になる」

「そいつはどうかな……」

与兵衛のひと言に八五郎が苛立つ。

「なんでえ、ご隠居さん。はっきり言ってくれ」

「辻斬りは、しばらく動かんと思うよ。すべてが同じ辻斬りの仕業《しわざ》かはわからんが、すでに四人も斬って、取締りは厳しくなる一方じゃ。お縄になれば死罪は免《まぬが》れまい。島田さんが下手人ってことになれば、差し当たって自分の身は安泰じゃ。だから動かん」

だれも言葉を発しない。徳兵衛はゆっくりと茶を啜ると、茶碗を置いた。

「確かに、与兵衛さんの言うことには一理ある。だが、私は動くと思う。下手人は病《やまい》気だ。人を斬りたくて我慢ができなくなる病だ。だから警戒が強まる中、四人目を斬った。理屈ではわかっていても、身体《からだ》が勝手に動いてしまうのだ。だから下手人を捕《と》らえる機会はあるはずだ。それに、佐平さんまでの三件の辻斬りに、島田さんが関係していないのは明らかだ。それを証明する人もたくさんいるはずだ。ただ、今回の状況では、奉行所に連れていかれても仕方なかろう。とにかく、これだけは言っておく。軽はずみな行動だけは慎むように。わかりましたね」

徳兵衛の家の引き戸が開いた。

「なんだ、みんなこんなところにいたのか。だれもいねえから引っ越しちまったのかと思った」

金太である。四件めの辻斬り事件があって、すっかり金太のことなど忘れていたのだ。

「万造さん、乙な夜鷹なんざ、どこにもいなかったぜ」

八五郎、万松の三人は俯《うつむ》いて頭を抱えた。

翌日の夕刻、亀沢町の番小屋《ばんごや》には、おけら長屋の住人だけではなく、鉄斎とは剣術道場での好敵手である火付盗賊改方《ひつけとうぞくあらためかた》の筆頭与力《ひっとうよりき》、根本伝三郎《ねもとでんざぶろう》、誠剣塾の塾長、江波戸直介《えばとなおすけ》も駆けつけてきた。

「根本様、島田さんの情報を得ることはできましたか」

「うむ。それがよくわからん。南町奉行所、北町奉行所、火盗改《かとうあらため》は、それぞれが手柄《てがら》争いをする構図になっているからな。簡単に情報は漏《も》らさん。北町と南町ほどではないが、奉行所と火盗改の関係も良好とは言えん。幸いなことに昨夜、この長屋の者たちが会った、南町奉行所の同心、伊勢平五郎は私の知り合いだ。平五郎から多少の話は聞くことができる。鉄斎さんの刀を調べれば、人を斬った痕跡《こんせき》があるか、わかると思うが、いかんせん目撃者がいる。辻斬りの疑いのある者を野放しにしておくわけにはいかんからな。この点で、南町奉行所のとった手段は正しい。同時に、南町は以前に起きた三件の辻斬りとの関わりについても調べている」

誠剣塾の塾長、江波戸直介が頷く。

「今日の昼、林町《はやしちょう》の誠剣塾に、南町の同心が聞き込みに来た。佐平さんが斬られたときに、鉄斎さんがおけら長屋にいたのは明白。一か月前に、富川町で職人が斬られた夜も、私と鉄斎さんは四谷《よつや》の道場に行っていた。少なくとも、その二件に鉄斎さんが関与していないことは証明できた」

徳兵衛は心配げに尋ねる。

「島田さんは、厳しい取り調べ……、拷問《ごうもん》などは受けていないでしょうな」

根本伝三郎は、腕を組んだ。

「南町の伊勢平五郎には釘を刺しておいた。島田鉄斎は辻斬りではない。火盗改はすでに辻斬りの下手人を特定しているとな」

「そ、それは本当でございますか」

「嘘《うそ》だ。だが、そうでも言わなければ、鉄斎さんの身が危ない。島田鉄斎を拷問し、無理やり白状させた後に、火盗改が真犯人をお縄にしたらどうなるか、覚悟しておけとな。伊勢平五郎は私にこう言ったよ。『根本さんの言葉、肝《きも》に銘《めい》じておきましょう。ですが、もし、島田鉄斎が辻斬りの下手人だったときは、どうなさいますか』と……」

「根本様は何と……」

「腹を切ると言った」

八五郎も、万松の二人も一切言葉を発しない。

「とにかく、長引くとまずい。南町奉行所にはタチの悪い同心が何人かいる。事件の解決を急ぐあまり、拷問や、証拠品のでっちあげなどで、無実の罪を着せられた者もいると聞く。北町奉行所に月番が替わるまで、あと二十日か……。う〜ん、十五日、十五日の間に辻斬りを捕らえなければ、鉄斎さんの身が危なくなる」

張り詰めた雰囲気が番小屋を支配していた。

おけら長屋の住人たちは、だれに相談するでもなく、それぞれが勝手に動きだしていた。

林町にある誠剣塾の道場の隅で密談しているのは、八五郎、万造、松吉、そして誠剣塾の若い門弟三名である。稽古《けいこ》はとっくに終わり、道場にいるのはこの六名だけだ。島田鉄斎は、剣術のみならず、その人物においても門弟たちから崇拝《すうはい》されている。鉄斎が捕らえられたと聞いて、門弟たちも黙っているわけにはいかないのだ。

八五郎は、顔馴染みの門弟たちの前で正座をした。万造と松吉もそれに倣《なら》う。

「門弟のみなさんに、おねげえがありまして、やってきました。本来なら酒でも呑みながらってとこなんですが、あっしら、島田の旦那が無罪放免《ほうめん》となるまで酒は断《た》ちましたんで。島田の旦那を助ける方法はひとつしかねえ。本物の辻斬りを捕まえることです。そこで、あっしたちが囮になります。島田の旦那を助けるためだったら、斬られて死んでもかまわねえ。だが、斬られて死ぬだけなら犬死《いぬじに》だ。あっしたちは刀も持てねえし、辻斬りと戦うこともできねえ。そこで、あっしたちが斬られたら、その辻斬りをとっ捕まえてもらいてえんです」

その話を聞いた、井上《いのうえ》という門弟は膝《ひざ》を正した。

「天晴《あっぱれ》なお覚悟です。八五郎さんも立派だが、私が感服するのは島田先生です。町人の方々に、ここまで慕われているとは。人を身分で判断しない島田先生だからこそ、みなさんをこんな気持ちにさせるのでしょう。私たちも、そうありたいと思います。八五郎さんの話、お引き受けいたしましょう。ただし、こちらからもひとつお願いがあります。この件は、江波戸塾長には内密にしていただきたい。許していただけるとは思えませんから。私たちも破門《はもん》覚悟でやりましょう」

「ありがてえ」

八五郎は、目に涙を浮かべて両手をついた。万松の二人も少し遅れて両手をつく。

「おれたちからも、おねげえがあるんで。おれたちも八五郎さんと同じ気持ちなんですが、できれば、願わくば、ご無理でなければ……、おれたちが斬られる前に、辻斬りをとっ捕まえてほしいんで」

一同は、大笑いする。

「まったく、こいつらときたひにゃ、せっかくの江戸っ子気分が台無しだぜ」

井上は笑いが治《おさ》まると――。

「あなた方を斬らせやしません。ただ、逃げる術《すべ》は覚えてもらいます。難しいことではありませんから」

「そりゃ、ありがてえ」

「辻斬りが出る時刻と場所は、だいたいわかっていると聞きましたが……」

松吉は懐から紙を出して広げる。

「場所は、竪川の南側で、大川と大横川の間。時刻は、戌の刻から亥の刻にかけてです」

井上は、しばらくその稚拙《ちせつ》な地図を眺《なが》めていた。

「それでは、二人ひと組になりましょう。私と八五郎さんが、この大川側。秋吉《あきよし》と万造さんが真ん中。石山《いしやま》と松吉さんが、この大横川側。辻斬りが出たら、笛を鳴らします。笛の音が聞こえたら、その方向に走ります」

全員が地図を見ながら、何度も顔を上下に動かす。門弟の秋吉が呟《つぶや》いた。

「出ますかね、辻斬りは……」

「まるで、井戸のお化けだね」

万造の冗談に、八五郎だけが笑わなかった。

「出てくれることを願うしかねえ。おれたちには、この方法しかねえんだ」

八五郎は唾《つば》をゴクリと呑みこんだ。


大家の徳兵衛は、刀屋を回っていた。

辻斬りは、刀に異常なまでの執着心《しゅうちゃくしん》を持っている男ではないか。新しい刀を持つと、人を斬りたい衝動に駆られて我慢できなくなる。そんな男だ。だとすれば、刀屋に出入りしているはずだ。二軒の刀屋では、これといった情報を得ることはできなかった。役人でもない人間が、他人から情報を聞きだすのは難しい。相手を警戒させないよう、遠回しに聞いたのが、却《かえ》って逆効果になっているのかもしれない。

神田富松町《かんだとみまつちょう》にある刀屋に入ると、奥の小上がりに座っている老主人は、一度、徳兵衛に視線を送ったが、また手元の台帳に戻した。刀屋に町人が入ってくるのは珍しいだろうが、その老主人は意に介しなかった。徳兵衛は小細工《こざいく》を使わないことにした。

「客ではございません。少々、お尋ねしたいことがありまして……」

「何でございましょう」

老主人は視線を落としたままで答えた。

「私は、本所亀沢町にある、おけら長屋の大家で徳兵衛と申します。辻斬りの下手人を捜しております」

「辻斬り……」

「本所界隈で、四件の辻斬りがあったことは、ご存知ですかな」

「聞いております。なんでも、下手人は長屋に住む浪人とか……」

「その浪人が住む長屋の大家が、私でございます」

老主人は、少し驚いた表情を見せた。

「その浪人は、断じて辻斬りなどを働く人物ではありません。何かの間違いで捕らえられてしまいました。ですから、本当の辻斬りを捜しだしたいのです。いや、捜しださなければならないのです」

「どうして、ここへ……」

老主人が、上がり框に座布団を差し出したので、徳兵衛は一礼して腰を下ろした。

「この辻斬りは、物取りではありません。人を斬ることに喜びを感じている狂人です。何がそうさせたのか。私は刀ではないかと思ったのです。こちらの商売物を侮《ぶ》辱《じょく》するようなことを申し、お許しください。刀に執着する者の中には、人を斬りたい衝動に駆られる者もいるのではないかと思いました」

「刀の愛好家というのは、多《おお》ございましてな。気に入った刀には、金に糸目をつけない御仁《ごじん》も大勢おります。まあ、茶の湯道具と同じですな。興味のない者にとっては、ただの茶碗です。その茶碗に百両、二百両と惜しみなく金を出す方がおります。そんな方々にとって、その茶碗で茶の湯を嗜《たしな》むことは至上の喜びなのでしょう。眺めているだけでは、意味がありませんからな。刀も同じでございますよ。刀の持つ、美しさ、気品、重厚さなどを楽しまれている方は心配ないのですが……。そのうち、半紙を斬り、藁《わら》を斬り、竹を斬る。仕舞《しま》いには生きているものを斬りたくなる御仁もおられるのです」

老主人は台帳を閉じた。

「私が若いころに、こんな話がありました。伝説の名刀がありましてな。考えてみれば、あれは名刀ではなく、妖刀《ようとう》だったのかもしれませんが。首を真横に斬られた男が、あまりの切れ味のため、首を斬られたことに気づかなかった。しばらくは普通に喋っていたそうです。ところが、風が吹くと、首が滑《すべ》るように落ちた。そんな伝説のある刀を、千両で手に入れた若殿がおりましてな。やはり、やってしまいましたよ、辻斬りを。刀の中には、人をそんな気にさせる妖刀があるのです」

徳兵衛は単刀直入に聞いた。

「こちらの刀屋に、辻斬りを働くかもしれないと思える方は、出入りしておりませんか」

「おりますよ」

老主人は、たいして考えもせずに即答した。

「それは、本当でございますか」

「三人ほど、おります。四十年以上もこの商《あきな》いをしていますからな。目を見ればすぐにわかります。だからといって、刀を売らぬわけにもいきません。私が売った刀で人が斬られるかもしれません。因果《いんが》な商売ですな」

「その三人の方の、住まいはわかりますか」

「刀をお買い求めいただいた方には、台帳にお名前と住まいを記載していただいておりますが、それが本当のものとは限りません。まして、辻斬りを働くような人物であれば、なおさらでございましょう」

徳兵衛は拳を握り紋めた。同時に、奉行所の牢で一人正座をする、島田鉄斎の姿が頭に浮かんだ。

「島田さん……」

心の中でそう呟いたとき、一人の侍が店に入ってきた。下級の武士ではない。身《み》形《なり》からすると、旗本か、身分のある武士だろう。徳兵衛には、気の弱そうな人物に思えた。老主人が徳兵衛に目配せをした。

《あの男が、その中の一人でございます》

老主人の目は、そう語っていた。

久蔵《きゅうぞう》と、魚屋の辰次は、ある男について調べていた。

根本伝三郎が、南町の伊勢平五郎から仕入れた情報で、鉄斎が捕まったときの状況が少しずつわかってきた。事件は、戌の刻を過ぎたころ、菊川町二丁目にある林肥後守《ひごのかみ》の屋敷近くの暗がりで起こった。酒に酔った中年の職人が、背中を袈裟斬りにされ絶命した。島田鉄斎が斬るところを見たと証言したのは、猿江町《さるえちょう》にある茶問屋、風香堂《ふうこうどう》で下働きをしている、丑松《うしまつ》という男だ。もっとも、人が斬られるところをはじめて見た丑松は、腰を抜かし、泡を吹いていたそうだから、証言の信憑性《しんぴょうせい》については疑問が残る。

丑松の叫び声を聞き、近くを巡回していた南町奉行所の同心が駆けつけた。絶命した職人の側には島田鉄斎が立っており、現場には血糊《ちのり》のついた刀と鞘《さや》が転がっている。鉄斎が腰に差しているのとは別の刀だ。鉄斎は同心に状況を説明する。

「私が角を曲がると、黒い着物で頭巾を被った者が、背後から職人を斬るところだった。その者は、そこに刀と鞘を投げ捨てると走り去った。私は、職人にまだ息があるか確かめたが、すでに絶命しているようだった。『辻斬りだ』という声に振り返ると、小柄な男が屋敷の塀にもたれるようにして座り込んでいた……」

その刀は、鉄斎が用意したものなのか、辻斬りが残していったものなのかは、定かではない。ここで重要視されるのは、なんといっても丑松の証言だ。鉄斎が辻斬りを働くなど考えられない。ならば、丑松は嘘をついている。嘘をつくには理由があるはずだ。

呉服問屋の手代《てだい》、久蔵にとって、風香堂の内儀《ないぎ》はお得意様の一人だ。女中たちとも挨拶《あいさつ》は交わす。顔見知りの女中に、それとなく聞くと――。

「丑松さんは、口入《くちい》れ屋の紹介だったね。確か、雇ったのは一年ほど前だったと思う。店では雑用をやってるけど、真面目《まじめ》に働くとは言えないね。この一年、小銭がなくなることがちょくちょくあって、丑松さんの仕業じゃないかって噂してる人もいるよ」

辰次は、丑松が住む長屋の周辺で聞き込む。手掛かりになるようなものはなかったが、辰次は根気強く粘った。鉄斎を助けたい気持ちは、万松たちにも負けないと思っている。その甲斐《かい》あってか、興味深い話を仕入れることができた。

「丑松は、風香堂に下働きで入るまで、二年ほど職を転々としていたが、もとは植木職人だったんだ。腕は良かったらしいけどよ」

「どうして植木職人をやめたんですか」

「おれの弟も植木職人なんだが、こいつが言うにはよ、丑松は、植木職人として武家屋敷に出入りしてたんだ。ところが、お屋敷で金を盗もうとしたところを、主人だか息子だか知らねえが、侍に見つかったらしい。奉行所に突き出されずに済んだが、それからその侍の言いなりになっちまった。まあ、結局はそれが親方にバレて、お払い箱になったんだけどな」

「その、武家屋敷……、お武家様の、お名前はわかりませんか。場所だけでもいいんです」

「確か……、富川町の大身旗本《たいしん》で、一柳《いちやなぎ》……、そうだ、一柳正三郎《せいざぶろう》とかいってたな」

神田川《かんだがわ》が大川に合流する、柳原《やなぎはら》土手には何十軒もの古着屋が軒《のき》を並べている。江戸の庶民が新調した着物を買うなど、あり得ない。着古した着物は、古着屋に売り、それを繕《つくろ》ったものを、また買う。長い道の両脇には、色とりどりの着物が吊《つ》るされて、眺めて歩くだけでも楽しい。だが、この柳原土手を悲壮な面持《おもも》ちで歩く、三人の女がいた。おけら長屋に住む、お里《さと》、お染《そめ》、お奈津《なつ》である。

女たちが目をつけたのは、辻斬りの着物だ。辻斬りは武家だと考えるのが妥当だ。まさか、家紋《かもん》のついた着物で人を斬るわけにもいくまい。返り血を浴びることだってあるのだから、辻斬りに及ぶときには古着を着るのではないか。それから頭巾だ。頭巾などは素人《しろうと》が簡単に縫えるものではない。お染は縫い物で生計を立てている。柳原土手の古着屋にも知り合いは多い。すでに根回しは終わっている。あとは、成果があるかだ。

「ああ、お染さんか。黒い着物と頭巾を買った、お武家様の件かい。何軒かあたってみたが、心当たりはないそうだ」

「何人かに聞いてみたが……、役に立てなくてすまないね」

その度に、三人は肩を落として、次の店へと歩く。そして――。

「この三軒先に、武家の着物を多く扱ってる店があるだろ。白髪《しらが》の爺《じい》さんがやってる店だ。そこに行ってごらん。若いお武家様が、頭巾を探していたそうだ」

三人はその店に向かった。白髪の老人は気さくな男だった。

「あんたたちかい。頭巾のお武家様を捜しているというのは……」

「ええ。そのお武家様は、この店の常連さんなんですか」

「そうじゃないが、三月《みつき》ほど前に黒い着物を買っていったな。よく覚えてるよ。正絹《しょうけん》の高価な着物を着ていた。こっちも商売だからひと目でわかるさ。なのに、黒の着物なら何でもいいと言う。おかしな話だろ。品定めをするでもなく、金を払うと逃げるように帰っていった。それから、しばらくして……、半月くらいだったかな。頭巾はあるかと聞かれてな。うちにはないと答えると、すぐに帰っていったよ」

「そのお武家様のお名前は、わかりませんか」

「さあ、店に来ただけだからなあ」

「名前がわからなければ、なんでもいいんです。眉毛《まゆげ》が濃いとか、顔に傷があるとか……」

「なんだか、訳ありのようだな。色恋かな」

「詳しいことは言えませんが、人の命がかかっていることです」

「そりゃ一大事だ。なら教えてやろう。わしはこの歳《とし》になっても女には弱いんでな。家紋だよ」

「家紋……」

「ああ。そのお武家様が着ていた着物についてた家紋だよ。『丸に橘《たちばな》』だ。そう多い家紋じゃない。捜す手掛かりにはなると思うがな」

三人は顔を見合わせた。


鉄斎が南町奉行所に捕らえられてから、七日後の夕刻。本所亀沢町にある番小屋には、人が集まりだしていた。おけら長屋の住人たち。根本伝三郎。誠剣塾の塾長、江波戸直介。そしてその門弟たち……。いずれも、鉄斎を助けたいと心から願っている人たちである。

徳兵衛は、根本伝三郎、江波戸直介に一礼して話しだす。

「今日は、根本伝三郎様に、お話ししたいことがあって、わざわざおいで願った。誠剣塾の江波戸直介様にも同席していただく。話というのは、もちろん島田さんのことだ。おけら長屋のみんなにも聞いてもらいたい」

番小屋の中は静まり返っている。物音ひとつしない。

「私は驚きました。昨日、私のところに、久蔵と魚辰がやってきたのです。二人の話を聞いていると、そこに、お里さん、お染さん、お奈津さんがやってきました。すべての話をまとめると、ひとつの答えがでたのです。まずは私の話からいたしましょう」

徳兵衛は、ゆっくりとした口調で刀屋を回った話をはじめた。

「私は、刀屋の前の路地に隠れて、その侍が出てくるのを待ち、跡をつけました。刀屋の主人が怪しいといった三人の中の一人です。両国橋《りょうごくばし》を渡り、堅川沿いを歩きます。その侍は、富川町の大きな屋敷に入りました。大身旗本、一柳正三郎様の屋敷です。侍は一柳正三郎の嫡男《ちゃくなん》、一柳半十郎《はんじゅうろう》です」

次は、久蔵と辰次の話をする。

「久蔵と魚辰が、丑松という男のことを調べているなど、まったく知りませんでした。その丑松が、一柳家に出入りしていたとは……。その上、丑松は一柳家に弱みを握られている。まさに久蔵と魚辰のお手柄です」

「おめえたち、いつの間に、そんなこと調べてやがったんだ」

久蔵と辰次は、八五郎たちに頭を小突《こづ》かれたり、背中を叩かれたりして、照れ笑いをしている。

「お染さんたちも、ご苦労様でした。古着屋に目をつけるなど、男にできることではありません」

　根本伝三郎が尋ねる。

「それで、一柳家の家紋は……」

「『丸に橘』です」

　根本伝三郎は、ゆっくりと立ち上がった。

「つながったな……。だが、証拠がない。その、一柳半十郎という男が辻斬りだとすれば、捕まえる方法はただひとつ。辻斬りを働いてもらうしかない。江波戸さん、誠剣塾の門弟の方々にも手助けをしていただきたい」

「もちろんです。囮になるのは誠剣塾におまかせ願おう。辻斬りの剣の腕は未熟です。酔った町人や夜鷹など、弱い者ばかりを狙っている。しかも背中からだ。腕に覚えのある者なら、そんなことはしない。心配はいりません」

　仏頂面《ぶっちょうづら》をしているのは、八五郎、万造、松吉の三人だ。

「なんでえ、なんでえ。みんなで、隠れてそんなことやってやがって。おれたちだけが蚊帳《かや》の外じゃねえか」

　八五郎のボヤキに、万松の二人も追従する。

「おれたちだって、おけら長屋の住人でえ。少しばかり手柄を回してくれたって、よさそうなもんだろ」

徳兵衛が笑った。

「なにを言ってるんだ。いつも、勝手に騒ぎを大きくしているのはだれだ。お前たち、辻斬りに斬られようとして、毎夜、歩き回っていたそうだな」

「な、なんでそれを……」

誠剣塾の塾長、江波戸直介も苦笑《にがわら》いをする。

「井上、秋吉、石山。貴様たちもだ。私が、何も知らないとでも思っていたのか。許可なく刀を抜いたら破門《はもん》だぞ。まあ、今回だけは、貴様たちの心意気に免じて、大目に見よう」

根本伝三郎は呆《あき》れ顔をする。

「すごいな、この長屋は。奉行所顔負けじゃないか。よし、一か八《ばち》かだが、勝負に出よう。ここまでみんなの気持ちがひとつになっているのだ。島田鉄斎は必ず助けだせる。万造、松吉、お前たちにも働いてもらうぞ」

万造と松吉は、拳をぶつけ合った。

北森下町にある居酒屋で、一人酒を呑む丑松。そこに入ってきたのは、万造と松吉だ。二人は丑松の隣の席に腰を下ろし、酒を注文する。

「しかしよ、島田の旦那がお解《と》き放ちになって、ホッとしたぜ」

万造の芝居《しばい》はなかなかのものだ。

「ああ、このままだと、辻斬りの下手人にされちまうんじゃねえかってよ……」

丑松の耳が動いた。

「前の三件の辻斬りに関係ねえこともわかったしな」

「だが、問題は、刀だったそうじゃねえか。足元に落ちてたっていう」

「よく、わからねえが、調べがついたんじゃねえのか」

そこにやってきたのは、誠剣塾の塾長、江波戸直介だ。万松の二人は立ち上がり、小上がりへと移動する。小さな屏風《びょうぶ》があるが、声は筒抜けだ。たわい無い会話が続いた後に、少し声を落とし、江波戸直介が切りだした。

「そうそう、辻斬りの件だがな……」

「何か動きがありましたか」

「島田鉄斎が放免になったのには、訳がある。南町奉行所の話によるとな、下手人の目星はついたらしい。詳しいことは言えんが、清水町《しみずちょう》の長屋に住む浪人だ。あとはその男が動きだすのを待つだけだ。南町奉行所の同心たちは、その男に張りついている」

「そうですか。早く下手人が捕まらねえと、おちおち酒も呑めませんからねえ」

江波戸直介は、声の大きさをもとに戻した。

「それからな、お前たちが剣術を習いたいという話だがな、やはり無理だ」

「どうしてですか。町人だからってえんですか。おれたちだって強くなりてえんで」

「駄目だ。特にお前たち二人は駄目だ。誠剣塾の品位が下がる」

「そりゃ、ねえでしょう」

丑松は、勘定を済ますと静かに出ていった。

「動きますかね」

江波戸直介は、ゆっくりとした動作で、猪口を口に運んだ。

「わからん。ただ、丑松が一柳家に注進することは間違いなかろう。鉄斎さんを辻斬りに仕立てることは失敗したんだ。その情報を得たことは、丑松の手柄になるからな。さて、それを聞いた半十郎が、どうするかだ」

万造は、目の前に置かれた徳利を、恨《うら》めしそうに見つめる。

「つれえなあ。酒があるのに呑めねえなんて。だがよ、これもう少しの辛抱《しんぼう》でえ」

「ああ、島田の旦那が放免になったら、一斗樽《いっとだる》の中に顔を突っ込んでやらあ」

江波戸直介は、鼻から笑い声を洩らした。

火盗改の同心たちは、富川町の一柳家の屋敷付近で張り込んでいる。誠剣塾の江波戸直介や数人の門弟たちは、手代や職人に変装して待機していた。半十郎が屋敷から出てきたとしても、どこに向かうかは予測できない。囮となる町人たちは複数必要になるわけだ。

万松の二人と江波戸直介が、丑松に偽《にせ》情報を吹き込んだのが昨夜。火盗改の筆頭与力、根本伝三郎は、半十郎が動くとすれば今夜だと読んでいた。与力の勘だ。盗み聞きした話を丑松が正確に伝えてくれれば、奉行所が目を光らせているのは、清水町ということになる。清水町は堅川の北側に位置しているため、南側の警戒は手薄になる。一柳半十郎は正常な精神状態ではない。もはや、人殺しとしてお縄になる恐怖心よりも、人を斬る悦楽の方が勝っているはずだ。一柳半十郎は必ず動く。火盗改は、それを尾行する。その先には、酔った職人がいる。誠剣塾の門弟たちであれば、未熟な半十郎に斬られることはあるまい。半十郎が斬りかかったところを、お縄にするのだ。

戌の刻を過ぎて半刻《はんとき》（一時間）ほど。屋敷の裏木戸《うらきど》が開いた。黒い着物姿で出てきたのは一柳半十郎だ。頭巾はつけていない。半十郎は大川方面に向かって歩きだす。特徴のある犬の遠吠《とおぼ》えは、半十郎が向かった方向を告げる合図だった。

半十郎が今夜動くと読んだのは、根本伝三郎だけではなかった。八五郎、万造、松吉も同じ考えだ。昨夜、丑松に偽情報を吹き込んだ万松の二人は、別の居酒屋で八五郎と合流している。

「半十郎とか抜かす野郎が、次に辻斬りをやらかすのはいつだ」

八五郎の大声に、万松の二人は同時に、唇《くちびる》を指でおさえた。

「声がでけえですよ。だれかに聞かれたらどうすんですか。一柳半十郎が動くのは、明日の夜だと思います」

「なぜだ」

「奉行所の目は、清水町に向いていると思ってる。それだったら早くやっちまった方がいいでしょう。それにしばらくは天気も良さそうだ。何より、野郎は人を斬りたくて仕方ねえんです。あんな話が耳にへえったら、我慢できるわけがねえ」

松吉の話に八五郎も同意する。

「しかしよ、返す返すも悔しいじゃねえか。その野郎をとっ捕まえるときに、指をくわえて見てるなんざ。おれたちはよ、佐平の敵討をしなきゃならねえんだ。小伝《こでん》馬町《まちょう》にでも送られちまったら、もう手は出せねえ」

火盗改の根本伝三郎からも、大家の徳兵衛からも、捕物に関わることは、固く禁じられている。町人としては当たり前のことだが、この三人には通用しない。万松の二人もいきり立つ。

「やっちまいましょうよ。火盗改は火盗改。おれたちは、おれたちだ」

「万ちゃんの言う通りでえ。火盗改が半十郎をお縄にした後だっていいじゃねえか。そこになだれ込んで、二、三発はぶん殴《なぐ》らねえと気が済まねえ。それにこのまじゃ、佐平さんに合わせる顔がねえからな」

八五郎は、卓を拳で叩いた。

「よく言った。それでこそ、おけら長屋の男だ。こっちは佐平がやられてるんでえ。二、三発殴ったところで、根本様も大目にみてくれらあ。よし、それじゃこうしよう。捕物の邪魔にならねえところに隠れていよう。堅川の南側ってんだから、長桂寺《ちょうけいじ》あたりがいいだろう。捕物がはじまりゃ、必ず騒ぎになる。そこへ向かって走りゃいいんでえ。それにしてもよ、茶を飲みながらメザシを齧るってのも乙なもんだな」

富川町を出た一柳半十郎は、何度も角を曲がり、遠回りをしながら大川方面に向かっている。明らかに不自然な歩き方だ。このまま進むと伊予橋を渡ることになるだろう。伊予橋の先には、酔った職人に扮《ふん》した誠剣塾の門弟が待機している。

一柳半十郎は、細い路地に入った。この路地は行き止まりになっている。再び路地から現れた半十郎は、黒い頭巾を被っていた。

ついに一柳半十郎が辻斬りを働く。尾行を続ける根本伝三郎にも緊張が走った。だが、これ以上近づくことはできない。気づかれてしまえば元も子もない。半十郎が刀を抜いて斬りかかることが絶対条件なのだ。伊予橋を渡った半十郎は、千鳥足の職人に気づき、必ず刀を抜く。そのときが勝負だ。

半十郎が伊予橋に差しかかろうとしたとき、予想外のことが起こった。橋の脇には水場に下りる石段があり、そこから小柄な男が上がってきたのだ。根本伝三郎は、小声で部下の同心に囁《ささや》く。

「お、おい。あれは江波戸さんのところの門弟か」

「いえ、伊予橋の下にいるなどとは聞いておりません」

「じゃあ、だれなのだ」

「さあ……、職人のようですが……」

「まずい。まずいぞ。何も知らぬ町人が斬られたら、取り返しがつかん」

「根本様、男が、一柳半十郎に近づいていきます。頭巾姿の侍に寄っていくとは、何を考えているのでしょう」

月明りの中、その男の姿が確認できた。

「根本様、あの男の背中……、丸くないですか。亀の甲羅のような背中をした男です」

石段を上がってきた男は、何のためらいもなく一柳半十郎に近づいていく。このあたりで辻斬りが発生しているのは周知の事実だ。戌の刻を過ぎてから一人で出歩く者も少なくなっている。そんな状況の中、頭巾を被った侍に、微笑を浮かべて近づいてくる男とは……。一柳半十郎は、たじろいだ。

「乙な夜鷹は知らねえか。おいら、ずっと捜してんだが、いねえんだ」

「な、なんだ、お前は……。いきなり何を申しておる」

「万造さんがね、夜鷹は橋の下にいるって言ってた。でも、いねえ。この橋じゃねえかもしれねえなあ。あんた、夜鷹のいる橋を知ってるか」

「そんなものは知らぬ。早々に立ち去れい」

「ずるいぞ。順番は、おいらの方が先だ。おいらは十日も前から待ってるんだからな」

斬るには、御誂え向きの男だ。半十郎は刀の柄《つか》に右手をかけた。男が振り向くと、半十郎はゆっくりと刀を抜く。

「危ない。逃げるんだー」

根本伝三郎の叫ぶ声と同時に、一柳半十郎は刀を振り下ろした。弾《はじ》けるような金属音がして、半十郎が手にしていた刀は、物打《ものうち》の部分から真っ二つに折れた。不思議なことに、斬られた男は無事のようで、橋の側を歩き回っている。

「一柳半十郎、神妙にお縄を頂戴《ちょうだい》しろ」

その声と共に、同心たちが走ってくる。だが距離はまだかなりある。一柳半十郎は伊予橋の石段を駆け下りると王間堀沿いに逃げる。弥勒寺橋《みろくじばし》を上がり、貯水槽の陰に身を隠すと、追手《おって》はそのまま王間堀沿いに走り抜けていった。

半十郎は、このあたりの地理に詳しい。とりあえず、橋のすぐ東側にある長桂寺に逃げこんだ。息も絶え絶えに御堂《みどう》の裏手に回って座り込むと、折れた刀を抱きしめるようにして震《ふる》えている。本性は、臆病《おくびょう》で気の小さい男だ。

「一柳半十郎だな」

突然の声に飛び上がる半十郎。見ると三人の男に取り囲まれている。

「だ、だれだ。町方《まちかた》の者か」

「てめえなんぞに名乗る必要なんかねえんだよ。てめえが一柳半十郎ならそれでいいんでえ」

半十郎は、及び腰になって、折れた刀を構える。

「そんな刀で、何をしようってんでえ。このヘチマ野郎。飛んで火に入る夏の虫たあ、このこってえ。てめえに斬られた佐平の敵、きっちりとらしてもらうぜ」

半十郎は狂ったように、折れた刀を振り回す。一人の男が、半十郎の顔めがけて、御手玉のようなものを投げつける。それは半十郎の顔面に命中した。

「おお、一発目から大当たりじゃねえか」

唐辛子の粉が舞う。刀を放りだした半十郎は、咳《せ》き込み、両目を擦《こす》りながら転げ回る。

「よし、取り押さえろ」

二人の男が背後から、肩と両腕を押さえた。

「一柳さんよ、覚悟はできてるんだろうな」

半十郎は目を開くことができない。

「せ、拙者を殺すつもりか」

「ふざけるねえ。人を殺したら、てめえと同じになっちまうだろ。おれたちはなあ、てめえとは違うんでえ。それっ、素《す》っ裸《ぱだか》にしちめえ」

三人がかりで半十郎を素っ裸にして縛りあげると、口の中に、唐辛子入り御手玉を押し込んだ。その上から帯で猿ぐつわをかます。

「佐平さんの敵。おれはここだ」

半十郎の股間《こかん》に唐辛子の粉を塗《ぬ》りつけた。

「ざまあみやがれ。萎《しな》びた茄子《なす》にゃ、唐辛子がお似合いでえ」

遠くから、複数の足音が聞こえてきた。

「よし、逃げろ」

根本伝三郎や同心、江波戸直介が駆けつけると、全裸《ぜんら》の一柳半十郎がのたうち回っていた。

火盗改は、同時に風香堂の下働き、丑松の身柄も拘束した。火盗改の取調べの恐ろしさを噂に知る一柳半十郎と丑松は、呆気《あつけ》なくすべてを自白する。取調べの結果、四件目の辻斬り——鉄斎が捕らえられたとき——の実行犯は、半十郎の父、一柳正三郎だった。自分の息子が辻斬りだと察知した一柳正三郎は、冤罪《えんざい》の辻斬りを仕立てるために、丑松と、その機会をうかがっていた。

あの夜、鉄斎は誠剣塾での所用を済ませ、徳兵衛に頼まれていた通り、八五郎たちの様子を見に行くつもりだった。そこで事件に巻き込まれたのだ。

島田鉄斎の容疑は晴れた。火盗改の根本伝三郎は、すべての手柄を南町奉行所に譲《ゆず》ることにした。引き換えに、一日でも早く島田鉄斎を放免にするためである。

八五郎、万造、松吉の三人は聖庵堂に出向き、佐平を見舞った。佐平は上半身を起こすことができるまで回復している。

「佐平、おめえを斬った野郎は、お縄になったぜ。もうすぐ獄門《ごくもん》行きでえ」

島田鉄斎が捕らえられていたことは、佐平には話していない。佐平は何度も頷きながら、肩を摩《さす》っている。

「まだ、つれえんですか」

佐平は顔をしかめながらも強がる。

「つれえといやあ、酒が呑めねえのが一番つれえ。おう、松吉。今度来るときは、一本頼むぜ。もちろん、お咲にゃ内緒だがよ」

「酒が呑みてえなんて、もうしんぺえねえや。合点《がってん》でえ。一番上等な酒を隠し持ってきまさあ。酒の肴《さかな》は、佃煮《つくだに》かなんかで……」

佐平は舌舐《したなめず》りをしながら――。

「糠漬《ぬかづけ》が食いてえなあ。古漬の萎びた茄子に、ちょいと唐辛子なんぞをかけてよ」

八五郎、万造、松吉の三人は、顔を見合わせて大笑いする。

「な、何がおかしいんでえ。何だか知らねえが、こっちまでおかしくなってきやがる。あはは……。い、いてえ。笑わせるな、背中がいてえ。あはは。だから、おめえたちも笑うのをやめろ。いててて……」

三人は、苦しむ佐平を指差して笑う。佐平は、笑いが治まると、真顔になった。

「ところで、島田の旦那は、いつお解き放ちになるんでえ」

八五郎の笑いはピタリと止《や》んだ。

「佐平。てめえ、なぜそれを知ってやがる」

佐平は鼻で笑う。

「おめえたちの猿芝居なんざ、とうにお見通しなんでえ。みんなの様子がおかしいから、お咲を問い詰めたら、すぐに白状しやがった。おう、八五郎。『佐平はてめえが斬られたことがもとで、島田の旦那が捕まったと思うかもしれねえ。傷に障《さわ》っちゃてえへんだ。だから島田の旦那のことは、佐平に話しちゃならねえ』なんぞと抜かしたそうだな。がさつなおめえたちにしちゃ気《き》が利くじゃねえか。野暮《やぼ》はきれえだからよ、騙《だま》されてやったんだよ。ざまあみやがれ」

八五郎が腕を捲《まく》る。

「なんだと、この野郎。だいたい、てめえが酔っ払ってフラフラしてやがるから、こんなことになったんでえ。いっそ辻斬りに斬られて死んじまえば清々《せいせい》したのによ」

万造と松吉が二人の間に割って入る。

「よしましょうよ、こんなところで」

「そうですよ。すべてが丸く収まろうってときに……」

佐平は、鋭い目つきで八五郎を睨《にら》みつける。

「佐平がやられて、黙ってるわけにゃいかねえ、と抜かしたそうだな」

「ああ、それがどうした」

「島田の旦那を助けるため、囮になって斬られて死んでもいいと、ほざいたそうだな」

「ああ、だからなんでえ」

佐平は、小さな声で――。

「ありがとよ。礼を言うぜ」

八五郎は怪訝《けげん》な顔をする。

「えっ、今、何て言ったんでえ」

今度は、佐平が大声で――。

「だから、ありがとうって礼を言ったんでえ。何度も言わせるな。この野暮天野郎」

互いに外方を向く八五郎と佐平を見て、万松の二人は必死に笑いを堪《こら》えた。


島田鉄斎がおけら長屋に戻った翌日、鉄斎と徳兵衛、根本伝三郎、江波戸直介の四人は料理屋の座敷で膳を囲んでいた。細《ささ》やかな祝宴だ。

「とにかく島田さんが無事に戻られて、よかった。長屋の連中もホッとしていることでしょう」

徳兵衛が三人に酒を注ぐ。

「辻斬りの下手人は、大身旗本の嫡男だったそうですな」

鉄斎は、下手人を捕らえたのが火盗改だということを知らない。筆頭与力の根本伝三郎は、注がれた盃を空《から》にする。

「南町の伊勢平五郎から聞いたところによると、一柳半十郎は、歪《ゆが》んだ刀の愛好家でな。それに屈折した心が加わり、このような事件を起こした。その半十郎を溺愛《できあい》していた一柳正三郎も己《おのれ》を見失った。まさに自業自縛《じごうじばく》です」

江波戸直介が続ける。

「でも、これで、本所深川界隈の者たちも枕を高くして寝ることができますな」

本来なら、八五郎が囮となって斬られようとした話や、万松の奮闘ぶり、久蔵や辰次のお手柄、お染たちの尽力、金太の鍋騒動などで、宴席は盛り上がるはずだ。だが、今ひとつ、会話が弾《はず》まないのには訳がある。

一柳半十郎がお縄になった翌朝、おけら長屋の住人たちが、徳兵衛の家を訪れている。

「大家さんに頼みがある」

神妙な八五郎の様子は、却って不気味だ。

「何だい。みんなして騒々しいね。おや、お里さんや、お染さんたちも一緒かい。ま、まさか、捕まった一柳半十郎を殴りたいなんぞは無理な話だぞ。そんなことを火盗改が許すわけがない」

「そんなことじゃねえ。それはもう、やっちまい……」

万造の頭を両脇から殴る八五郎と松吉。

「それじゃ、何だ。そ、そうか、島田さんが解き放ちになった祝宴を開くから、金を都合しろって、馬鹿も休み休み言え。そんな金がどこにある」

住人たちは呆れ顔で、徳兵衛を見つめている。

「よくもまあ、先回りして、いろんなことを思いつきますね」

「お前たちと長年付き合っていれば、当たり前のことだ。それじゃ、頼みとは何だ」

八五郎は少しの間《ま》をおいた。

「おれたちが、島田の旦那を助けたい一心で駆けずり回ったこと、島田の旦那には内緒にしてもらいてえんで」

「なぜだ。島田さんは喜ぶと思うがな」

万造が後頭部を掻《か》きながら――。

「なんか、こう、照れくせえってえか、なあ、松ちゃん」

「ああ。なんか粋《いき》じゃねえんですよ。なあ、久蔵」

「ええ。恩を売ったみたいで、ねえ、お染さん」

「こっちが気になるんですよ。私たちは特別なことをしたわけじゃないんです。だって、おけら長屋の住人なんですから」

八五郎は、涼しい顔をして立ち上がる。

「まあ、そういうこってえ。よろしく頼むぜ。長屋のみんなに話は通してあるからよ。根本様や江波戸様にも、そう伝えてくれ」

住人たちは、徳兵衛の返事も聞かずに出ていった。

「なかなかやるじゃないか、おけら長屋も……」

徳兵衛は、しみじみと呟いた。


「どうしました、徳兵衛さん」

島田鉄斎の問いかけに、我に返る徳兵衛。

「いや、ちょっと、つまらないことを思い出しました」

「それにしては、嬉しそうな顔をしていましたよ」

ここで、鉄斎は座布団を外し、姿勢を正した。

「どうも困りましたな。みなさん、大狸《おおたぬき》で……。南町奉行所を出るとき、伊勢平五郎という同心が言いました」

《島田さん。あなたの仲間はすごいな。南町奉行所は完敗です》

鉄斎は頭を下げる。

「私は……、根本さん、江波戸さん、そしておけら長屋のみんなに……」

徳兵衛は徳利を差し出して、鉄斎の話をさえぎった。

「さあ、堅苦しい話はそれくらいにして……。もうすぐ、佐平さんも、おけら長屋に帰ってきます。また騒がしくなりますぞ」

徳兵衛は熱い酒を注ぎながら微笑《ほほえ》んだ。

編集協力――武藤郁子

この物語はフィクションであり、実在した人物・団体などとは一切関係ございません。

本書は、書き下ろし作品です。

著者紹介
畠山健二（はたけやま　けんじ）
1957年東京都目黒区生まれ。墨田区本所育ち。演芸の台本執筆や演出、週刊誌のコラム連載、ものかき塾での講師まで精力的に活動する。著書に『下町のオキテ』（講談社文庫）、『下町呑んだくれグルメ道』（河出文庫）、『超入門！　江戸を楽しむ古典落語』（ＰＨＰ文庫）、『粋と野暮　おけら的人生』（廣済堂出版）など多数。『スプラッシュ　マンション』（ＰＨＰ研究所）で小説家デビュー。文庫書き下ろし時代小説『本所おけら長屋』（ＰＨＰ文芸文庫）が好評を博し、人気シリーズとなる。

ＰＨＰ文芸文庫　本所おけら長屋 読み始めセット
本所おけら長屋（二）

2023年９月15日　第１版第１刷

著　者　畠山健二
発行者　永田貴之
発行所　株式会社ＰＨＰ研究所
東京本部　〒135-8137 江東区豊洲5-6-52
文化事業部　☎03-3520-9620（編集）
普及部　☎03-3520-9630（販売）
京都本部　〒601-8411 京都市南区西九条北ノ内町11
PHP INTERFACE　https://www.php.co.jp/
組　版　朝日メディアインターナショナル株式会社
印刷所　図書印刷株式会社
製本所　東京美術紙工協業組合

 ISBN978-4-569-90341-5

本所おけら長屋(一)～(二十)

畠山健二 著

江戸は本所深川を舞台に繰り広げられる、笑いあり、涙ありの人情時代小説。古典落語テイストで人情の機微を描いた大人気シリーズ。